C000003866

RHYFEL PEN LLŶN

RHYFEL PEN LLŶN

HARRI PARRI

GWASG PANTYCELYN

Argraffiad cyntaf Hydref 1992

Dymuna'r cyhoeddwyr gydnabod cymorth
Adrannau'r Cyngor Llyfrau Cymraeg.

ISBN 1 874786 01 1

Cynlluniwyd y clawr gan Ian Griffith

Cyhoeddwyd ac argraffwyd gan Wasg Pantycelyn, Caernarfon

CYNNWYS

I gofio, gyda gofid, am Wil, hogyn Anti Lisi ac Yncl Bob, Derlwyn, Abersoch, a chefnder i mi, a laddwyd yng ngwlad Groeg, Ebrill 26, 1941 — un yr hoffwn fod wedi cael cyfle i'w 'nabod.

CYDNABOD

'Dwn i ddim a ydi stori radio yn ffurf arbennig a derbyniol ar lenyddiaeth ai peidio ond ar gyfer y cyfrwng hwnnw yr ysgrifennwyd y straeon hyn yn wreiddiol. O'r herwydd, mae hi'n ddyletswydd arna' i i ddiolch i Elwyn Jones, Rheolwr Cynhyrchu yr Uned Rhaglenni Cyffredinol ym Mangor, am iddo olygu a chynhyrchu'r gyfres gyda'i ofal a'i drylwyredd arferol.

'Run pryd, fe hoffwn i ddiolch i Llinos Lloyd Jones, Caernarfon, am iddi fwrw golwg dros y gwaith a'i gywiro ac i Adran Olygyddol y Cyngor Llyfrau Cymraeg am gefnogaeth a chyfarwyddyd. Ian Griffith, artist ifanc o Gaernarfon, a gynlluniodd y clawr ac a wnaeth y lluniau ac rwy'n diolch iddo yntau. Diolch, hefyd, i Wasg Pantycelyn a'i Swyddog Cyhoeddi, William Owen, am eu parodrwydd i gyhoeddi'r gwaith ac am eu gofal. Fy ngwraig, Nan, a droes yr inc rhededog, byw yn brint darllenadwy ac rwy'n ddiolchgar iawn iddi am gymwynas arall eto.

Fel erioed, wrth ysgrifennu fe gefais i gryn drafferth adnabod yr hen linell bell honno sy'n gwahanu dychymyg a ffaith. O leia', fe ddaearwyd y cyfan yn y darn gwlad digon o ryfeddod hwnnw sydd rhwng Pin Tymawr a Bae Porth Neigwl, rhwng Clip y Gylfinir a Thrwyn Llanbedrog.

Fy mwriad i wrth ysgrifennu'r gyfres radio oedd ceisio dal awyrgylch cyfnod tywyll yr Ail Ryfel Byd ar bentir mor ddiarffordd â Phenrhyn Llŷn a dathlu y math unigryw o hiwmor a berthyn i'r trigolion. Bûm innau yn ddigon ffodus i gael fy magu gan ddau a gredai mai oferedd oedd rhyfela ac mai'r unig ffordd i ddal ati i gredu hynny, â'r byd yn dân, oedd dal ati i wenu.

HARRI PARRI

Hwch, Babi a Bỳs

Cerddodd William Huws, Beudy'r Gors, i ganol llawr y gegin fyw â'i draed o'n un trybola o faw moch.

'Mildred, welsoch chi 'nghrysbas ail i'n rwla? . . . Mildred!'

'Ia, cariad?'

'Wel, welsoch chi 'nghrysbas ail i?' a cherdded, 'nôl a blaen, fel cath ar sindars poeth.

'Mae o'n hongian, cariad, ar gefn drws y llofft gefn. 'Run lle ag mae o wedi bod er dechra'r Rhyfal.'

''Dwi am bicio, Mildred, i Gerrig Gleision, i weld Miss Willias.'

'Ddim yn y sgidia' yna, cariad.'

'Y?'

''Dewch chi ddim i fyny i'r llofft gefn, na'r un llofft arall, yn y sgidia' yna. Mae'n nhw'n dew o faw moch. Ac i be, cariad, 'dach chi isio mynd i weld Miss Willias 'radag yma o'r nos?' A hitha'n nosi.'

9

'Nid fi sy isio'i gweld hi.'

'O?'

'Yr hwch 'te.'

'Yr hwch ddeutsoch chi? Wel, i be ma'r hwch isio gweld Miss Willias, Cerrig Gleision 'radag yma o'r nos?'

'Hwylio i ofyn bae' ma' hi 'te. Y . . . yr hwch felly.'

'Ffansi. Ond William, cariad, pam na 'roswch chi tan y bora? A mynd yno pan fydd hi wedi dyddio 'te.'

Un o Bwllheli oedd Mildred, ei ail wraig, ac yn dal yn anghynefin â bywoliaeth hychod magu. Mewn siop ddillad ym Mhwllheli y cyfarfu'r ddau: William Huws yn chwilio am sowwestar a dillad isa' a Mildred yn prynu ychydig *lingerie* gyda gweddillion y cwpons dillad.

Anwybyddodd William Huws y cwestiwn, lluchiodd y ddwy stemar ogleuog i gyfeiriad y lle tân a'i fflatwadnu hi am y llofft gefn.

Yn nechrau ha' 1945, a'r 'Battle of the Bulge' yn ei hanterth, y penderfynodd hwch fagu Beudy'r Gors wneud ei rhan ym mhlaid y Rhyfel — yn union fel petasai hi wedi clywed Winston Churchill yn annog dyn ac anifail i ddyblu'u diwydrwydd, ond heb weld y poster a hoeliasai Meiji-Jên Siop-y-post wrth y mymryn cownter — 'A yw eich siwrnai'n gwbl angenrheidiol?'

Wedi gwisgo'i grysbas ail, sgidia' ail orau a'i legins porthmona, daeth William Huws yn ôl i'r gegin a hwylio i gychwyn ar ei genhadaeth.

'William, cariad,' pletiodd Mildred, 'sut yr ewch chi i Gerrig Gleision 'rawr yma o'r nos?'

'Wel, efo bỳs siŵr dduwch. 'Tydi Ifan Paraffîn yn rhedag sbesial bob nos Ferchar, mogra'r saith 'ma, i fynd â'r petha' ifanc 'ma i'r pictiwrs.'

'Ond sut eith yr hwch 'ta?'

'Wel, su'dach chi'n disgw'l iddi fynd?'

'Wel . . . y . . . dwn i ddim.'

'Efo'r un bỳs â finna' 'te. Felly ma' hi 'di mynd yno 'rioed.'

Yna, mentrodd flewyn o wamalrwydd. ''Fasa' 'rhen dlawd yn medru hel y ffers 'tasa' hi'n ca'l benthyg pynsiar gin y Paraffîn.'

Daeth yn dro i'r wraig anwybyddu sylw'r gŵr a cherddodd yn fân ac yn fuan i gyfeiriad y gegin allan.

'Fyddwch chi ddim angan swpar felly?'

'Ga'i damad efo Miss Willias, unwaith bydd yr hwch a finna' wedi landio.'

'Ffansi.'

●　　　●　　　●　　　●

''Fasa' hi'n rwbath gynnoch chi, Ifan Ifans, fynd â'r hwch 'ma a finna' heibio i Gerrig Gleision? Ma' hi'n gofyn bae'.'

'Drw' Lanengan ac yn deirect i'r dre ydi'r gorchymyn 'dwi wedi'i ga'l. Ma' hi'n amsar rhyfal, William Huws, ac ma' petrol ar rasion.'

Gŵr â'i faen sbring wedi'i weindio hytrach yn dynn oedd Ifan Ifans y Paraffîn; datodai'n un llanast ar y styrbans lleia'. Serch hynny, roedd ganddo'i bris. Slipiodd William Huws hanner owns o faco'r Brython i law ddisgwylgar gyrrwr y bỳs a chafodd yr ateb a ddymunai.

'Heblaw, o dan yr amgylchiada' presennol, ac o barch i hen ddyn 'ych tad pan oedd o, mi fydd yn blesar gin i rowndio dipyn.'

Bu cryn anhawster i gael yr hwch i mewn i'r bỳs o gwbl. (Dyn â golwg byr, byr ganddo oedd Ifan, yn gwisgo sbectol gwydrau-gwaelod-pot-jam ac un a gonsgriptiwyd i'r gwaith oherwydd bod rhai â golwg hwy ganddyn nhw wedi'u galw i'r fyddin i yrru cerbydau rhyfel. A chlywed am yr hwch a'i pherchennog wnaeth o ar y cynta', yn hytrach na'u gweld nhw, ac o ganlyniad, bu'n rhaid i'r ddau duthio ar ôl y bỳs am gryn hanner canllath neu well cyn cael mynediad iddo.)

Gwaith digon dyrys oedd cael hwch i ddal bỳs o dan amgylchiadau cyffredin ond pan oedd honno â'i hanner ôl wedi'i glymu mewn bag peilliad, roedd y gorchwyl yn anos fyth.

'Neidiwch i mewn, William Huws, lle bod ni'n 'straffu amsar. Geith yr hwch deithio am bris ci ylwch.'

Aildaniodd y siandri gyda phesychiad a jyrc a chychwynnwyd ar y daith. Ar y dechrau bu'n rhaid i William Hughes a'r hwch ddioddef anfri a sen oddi ar law y cybiau a deithiai yn y sedd gefn.

'Soch, soch . . . ch, ch!'

'Mynd â hi i'r Palladium mae o, hogia'.'

'Nabododd William Huws berchennog y llais nesa' a phenderfynodd roi gordd arno.

'Diawl, 'tydyn nhw'n ddau o betha' del, hogia'.'

'Wel o leia', 'ngwas i, ma'r hwch *yma* a finna' yn dal hefo'n gilydd.'

Distawodd y trydar yn y fan. On'd oedd mam perchennog y llais — un o wragedd Tai Teras — newydd adael ei gŵr am longwr tir sych a ddaethai i Wersyll Penychain i ddysgu morio. Cafodd William Huws barch a godai oddi ar ofnadwyaeth weddill y siwrnai.

''Dan ni'n dynesu at y Cerrig hwnnw?' holodd y Paraffîn, fymryn yn bryderus, a chraffu o'i flaen.

''Dwi'n barnu'n bod ni ond fedra' i ddim â bod yn siŵr. 'Tasa' hi'n ola' dydd a finna' ar 'y nhraed, mi faswn i'n 'nabod Pen Cilan 'ma fel cefn fy llaw.'

'Wel diawl, gwaeddwch os gwelwch chi o yn rwla.'

'Mi 'na i, Ifan Ifans.'

Oherwydd eu difyrrwch wrth weld hwch a'i pherchennog yn eistedd yn y sêt flaen, bu'r teithwyr yn hir cyn sylweddoli bod y Paraffîn wedi cymryd tac gwahanol a'u bod bellach yn pellhau oddi wrth y pictiwrs yn hytrach na dynesu ato.

Cyn bo hir cododd storm brotest o gyffiniau'r sêt gefn. Anifail peryglus yw un a glwyfwyd.

''Dyn nhw wedi symud Pwllheli ne' rwbath?'

''Dan ni wedi talu am ga'l mynd i weld — *The First of the Few*.'

'Do'n tad.'

12

'Nid i fynd â hwch Beudy'r Gors at y bae'.'

'Ifan Paraffîn dreifar sybmarîn.'

'Petha' ifanc 'ma wedi mynd yn gegog, Ifan Ifans,' sylwodd William Huws a ddioddefasai'r un math o enllib yn flaenorol.

'Hy! Ofn colli'u llith nos Ferchar ma'r bygars. 'Dwi'n deud wrthach chi rŵan, isio'u ffrog-martsio nhw i gyd i'r ffrynt lein sy, i'r Jyrmans ga'l practis saethu.'

Yn ei benbleth i geisio rhyw lun o weld y ffordd, a than ei glwyfau, aeth Ifan Paraffîn yn fwy o dincar fyth. Dechreuodd synhwyro'r awyr.

''Dach chi'n siŵr, William Huws, nag ydi'r bitsh hwch 'na ddim yn baeddu'r sêt gynnoch chi?'

'Un o'r hychod glana' fuo' acw fawr 'rioed. Heblaw, ma' gin i hwn, ylwch, y sach peilliad 'ma, am 'i thin hi.'

''Neith sach peilliad ddim dal dŵr, na 'neith. A 'drychwch welwch chi'r Cerrig Gleision cythril hwnnw yn rwla.'

Craffodd William Huws a'r hwch (ond am resymau gwahanol) drwy ffenestr y bỳs ac i'r gwyll.

'Welwch chi'r sglyfath lle yn rwla?' ebe Ifan, wedyn, yn bigog.

'Anodd deud, achan.'

'Wel, triwch graffu, bendith y nefoedd i chi.'

'Ifan Ifans?'

'Ia?'

'Ma' rwbath yn deud wrtha' i ein bod ni wedi pasio'r lle . . . ryw filltir yn ôl.'

'Wedi pasio'r lle, ddeutsoch chi? Y chi a'ch sglyfath hwch ddeuda' i.'

Fel roedd Ifan Paraffîn yn darfod blagardio, rhoddodd y bỳs dagiad neu ddwy cyn stopio gyda jyrc.

'Ma'r bitsh 'di mynd yn sych o betrol. Ydi, 'tawn i'n llwgu, ym Mhen Cilan o bob man.'

Dyna'r foment y teimlodd Kate bach, morwyn Tyndir, un o'r teithwyr, y byddai hi wedi bod yn ddoethach iddi fod wedi

13

gwrando ar gyngor ei mam a hepgor y Palladium y noson honno.

'Ifan Ifans?'

'Ia? Be sy rŵan?'

''Dwi'n mynd i ga'l babi.'

'Congrads. Nid chdi 'di'r gynta'.'

'Ifan Ifans?'

'Ia?'

''Dwi'n mynd i ga'l babi *rŵan*.'

Brysiodd William Huws i lawr grisiau'r bỳs, gan ddarn-lusgo'r hwch i'w ganlyn, wedi gwerthu'i gymydog am lai na chawl ffacbys.

'A lle gythril 'dach chi'ch dau'n mynd?' holodd y dreifar.

''Sna 'di o wahaniaeth mawr gynnoch chi, 'dwi am drio'i 'nioni hi am Gerrig Gleision, draws caea'.'

'A 'ngadael i yn fama, ar 'y maw?'

'Fedar y bỳs aros ylwch, ond fedar hwch sy'n gofyn bae' ddim. Nos dawch.'

Gwaeddodd y Paraffîn o sedd y gyrrwr â'i lais yn eco yn y gwyll. 'Ond William Huws bach, mae 'ma hogan yn hwylio i ga'l babi.'

Fel y camai William Huws dros gamfa i gae, a'r hwch hanner o dan ei gesail, gwaeddodd y gyrrwr eilwaith.

'Y sinach sâl i chi! A 'dach chi ddim wedi talu'ch ffêr 'chwaith.'

Fel roedd William Huws yn croesi'r cae, a'r hen hwch yn igam-ogamu'i rhyddid newydd, clywodd sŵn traed cybiau'r sêt gefn yn trybowndio i lawr grisiau'r bỳs dan siantio'u gwrthryfel dros y wlad dywyll, agored.

'Ifan Paraffîn yn dreifio ar 'i din.'

Aeth yntau ymlaen â'i genhadaeth yn hapusach dyn.

*   *   *   *

Chafodd Dora Williams, Cerrig Gleision 'rioed fabi, na gŵr

iddi'i hun, ac wedi colli ''rhen bobol' yn nechrau'r tridegau ymrodd i droi tyddyn caregog yng ngwynt Porth Neigwl yn amgenach tir, ac i fagu stoc a ddenai borthmyn yno o bellter mawr. (Ganddi hi roedd y baedd 'Large White' gorau ar Benrhyn Llŷn.) Rhesymau gwahanol, fodd bynnag, a barai fod y postman lleol — priod a thad i bump o blant, a blaenor gwerthfawr gyda'r Annibynwyr — yn troi i mewn i Gerrig Gleision ambell fin nos gyda'r esgus o ddanfon teligram.

Y noson o dan sylw, bu Miss Williams yn hir syllu drwy'r twll yn y blacowt yn ffenestr y llofft ffrynt ar lampau bŷs Ifan Paraffîn yn dawnsio'u ffordd yn feddw ar hyd Pen Cilan cyn stopio'n stond, ond heb wybod i sicrwydd mai bŷs oedd yno. Gollyngodd ei dannedd gosod i jwg chwart o ddŵr a halen, penliniodd i ddweud ei phader ac yna dringodd i'r gwely dwbl i gysgu noson arall yng nghwmni llun Cynddylan Jones a siampler ac arni'r adnod — 'Na thrysorwch i chi drysorau ar y ddaear' — mewn ffrâm fahogani.

Fel roedd Dora Williams ar syrthio i gysgu, lluchiodd rhywun ddyrnaid o fân gerrig yn erbyn y ffenestr.

'Pst! . . . Miss Willias?'

Plannodd ei llaw i ganol y jwg chwart ac yna sodro'r dannedd yn ei cheg; gwthiodd ei thraed i'w slipars rywsut-rywsut a'i ffwtwocio hi am y ffenestr. Cyn iddi ei chyrraedd, chwalwyd un o'r cwareli'n siwrwd mân a landiodd homar o garreg ar droed y gwely a bownsio wedyn i'r llawr.

'Miss Willias? . . . Pst!'

Dadfachodd Dora y ffenestr a gollwng y darn ucha' i'r gwaelod nes bod ergyd i'w chlywed.

''Tydi'r ystol yn y tŷ gwair, yn pwyso'n erbyn y gowlas, 'run lle ag y bydd hi bob amser.'

'Ond, Miss Willias.'

'Ewch i' nôl hi, Norman. A dowch i fyny ar hyd-ddi, fel arfar. Yn ddistaw 'te.'

'Miss Williams, *fi* sy' 'ma.'

'Y?'

'William Huws . . . Beudy'r Gors.'

Sylweddolodd 'rhen ferch faint ei chamgymeriad a cheisiodd adfeddiannu'r tir a gollwyd drwy ymosod ar William Huws, druan.

''Neno'r gogoniant, i be ma' isio i chi drampio'r wlad, gefn berfadd nos, yn malu ffenestri pobol onast?'

''Ddrwg gin i, Miss Willias. 'Ddyliwn fod wedi chwilio am garrag lai.'

'Faswn i'n meddwl wir. Ne' beidio â lluchio cerrig o gwbl.'

'Wedi dŵad â'r hwch at y bae' rydw i, Miss Willias.'

'Be, ganol nos?'

'Roedd hi 'di mynd yn llwydnos pan sylweddolis i 'i bod hi'n dechra' anesmwytho.'

''Wela' i. Wel, 'dach chi 'rioed 'di cherddad hi bob cam.'

'Geuthon ni'n dau bàs.'

'O?'

'Efo Ifan Paraffîn, yn y bỳs.'

'Ro'n i'n meddwl 'mod i'n gweld gola' ac yn clywad rhyw sŵn pan o'n i'n cau ar yr ieir.'

Sylweddolodd Dora Williams ei bod hi'n sefyll yn llond y ffenestr yn ei choban, yn wyneb llafn o olau leuad, a theimlodd ei hun yn cael ei dadwisgo'n gyflym.

'Mi wyddoch chi lle ma' Gilbert.'

'M . . . Norman ddeutsoch chi gynna',' ebe William Huws wedi cymysgu rhwng yr halen a'r pupur.

'Gilbert, William Huws. Dyna ydi enw'r bae'.'

'Norman, felly.'

Gwylltiodd 'rhen ferch yn gacwn ulw.

'Gilbert! Gilbert 'di enw'r bae' . . . Norman 'di'r postman.'

'Maddeuwch i mi. 'Di colli 'nghysgu rydw i.'

'Wel ewch â'r hwch ato fo, lle'i bod hi'n oeri. Mae o yn y cynta' o'r tri cwt mochyn.'

'Mi a' i â hi yno'n syth bin.'

'A William Huws?'

'Ia?'

'Dowch i'r tŷ i dalu. Mi 'na i banad gynnas i chi, unwaith bydda' i 'di ca'l rwbath amdana'. Reit, cariad?'

'Diolch i chi.'

*   *   *   *

Erbyn i Ifan Ifans gyrraedd yn ôl at y bỳs, lledorweddai morwyn Tyndir ar un o'r seti croesion a'i chyntafanedig yn gorffwys ar ei dwyfron. Dringodd yn flinedig i fyny'r stepiau gan gludo siwrnai o ddŵr berwedig, wedi oeri, i'w ganlyn.

'Lle ar wynab y greadigaeth 'dach chi 'di bod?

'Wel, nôl dŵr berwedig 'te Nyrs, fel daru chi ofyn i mi.'

'Lle ceuthoch chi o? Lan môr Nefyn?'

'Fuo' raid i mi gerddad hannar milltir cyn y gwelais i dŷ o gwbl.'

'Tŷ pwy oedd o?'

'Rhyw foi dal cwningod. Wedi i mi'i lygio fo o'i wely, mi gym'odd hi chwartar awr i mi 'i argyhoeddi o ma' nid Jyrman sbei o'n i. A gorfod i mi dalu i'r cythraul am y dŵr yn y diwadd.'

Trochodd Nain Nyrs flaen ei bys yn un o'r pwcedi a dweud yn sarrug, "Tydi hwn yn oer fel rhew gynnoch chi.'

'Wel fedrwn i gerddad ddim cynt. A ma' 'i hannar o wedi colli i fy sgidia' i.'

'Hidiwch befo, mi ges i lond pisar o beth berwedig yn y tŷ pen, yn y rhes tai sy tu ôl i'r bỳs 'ma.'

'Tewch, welis i mo'r rheini,' meddai Ifan, yn teimlo'i hun wedi cael cawell.

"Dach chi'n gynnas, 'nghariad i?'

'Ydw, Nyrs, diolch i chi.'

"Tydi o'n beth bach digon o ryfeddod.'

'Ydi, debyg,' atebodd Kate flewyn yn swil.

Bu Nain Nyrs yn un o sefydliadau plwy Llanengan am hanner canrif a mwy. Beiciodd am ddeugain mlynedd ar gefn ei

17

Hercules, 'nôl a blaen, o ben Trwyn Cilan i ben Mynytho yn fydwraig swyddogol, yna'n un answyddogol, i'r holl blwy.

Casâi â chas perffaith 'ddyn o dan draed' ar awr genedigaeth ond ni bu neb tynerach wrth famau'n esgor ar blant, yn arbennig felly wrth rai fel Kate bach, morwyn Tyndir, a fu'n ddigon anffodus i ori allan. Barnai'r ardalwyr fod ganddi'r chweched synnwyr hwnnw a ddywedai wrthi ble roedd ei hangen. Fel rheol, cyrhaeddai'r fan, fel wrth reddf, ar yr union bryd. Ond, y noson o dan sylw, hogiau a gollodd y pictiwrs a alwodd heibio iddi, berfedd nos, a'i hysbysu o'r angen. Beiciodd hithau, gyflymed â phosib, yn llewych egwan y lamp garbaid, o bentre Llanengan i lethrau Mynydd Cilan â'r celfi angenrheidiol ym masged y beic.

''Fasach chi'n hoffi tropyn o de, 'nghariad i? Diferyn bach dros ych ceg, i gnesu?'

'Baswn,' ebe'r Paraffîn yn sychedig, wedi camddeall cyfeiriad y cwestiwn.

'Nid i chi ro'n i'n cynnig, ond i Kate 'ma . . . 'Fasach chi, 'nghariad i?'

''Fasa' ddim yn well gin i, Nyrs. Gin i sychad camal, digon i yfad afon Soch yn sych.'

'Mi eith Ifan Ifans 'ma i nôl peth i chi.'

'Be?'

'Ifan Ifans,' gorchmynnodd y Nyrs yn styrn, 'ewch i nôl piserad o de poeth i'r hogan 'ma, a swm go dda o siwgr yno fo i ymladd y sioc.'

'Ond, Nyrs annwl,' apeliodd y Paraffîn â blys nogio, 'prin medra' i roi dwy droed heibio'i gilydd.'

'Wel, tân dani!'

'Mi a' i 'ta, Nyrs, fel 'dach chi'n gofyn i mi.'

*   *   *   *

Cyn iddo gyrraedd y cwt mochyn, bron, darganfu William

18

Huws nad oedd gan Gilbert fawr ddim diddordeb yn hwch fagu Beudy'r Gors, a hynny oherwydd yr oedi a fu, mae'n debyg, ond buan y sylweddolodd bod gan y baedd atgasedd llwyr at berchennog yr hwch, a hynny am iddo aflonyddu ar ei gyntun.

Cilagorodd William Huws giât y cwt gyda gofal gan obeithio y byddai datod ychydig ar ganolfur y gwahaniaeth yn cynnau peth tân. Cosodd gefn y baedd yn ysgafn â'i law.

'Gilbert 'ngwas i . . . 'Na fochyn mawr.'

Gwir y gair, cythrodd y mochyn i ffêr William Huws a thyllu un o'i legins.

'Y satan felltith!'

Caeodd y giât mor frysiog â phosib o'i ôl.

Trodd ei ben i weld yr hwch, y bu cymaint o drafferth i'w chael yno, yn tuthio mor gyflym â phosib yn ôl i'r cyfeiriad y tybiai roedd ei chartref.

Cychwynnodd William Huws, yntau, redeg i'r un cyfeiriad.

*   *   *   *

Daeth Ifan Paraffîn yn ôl i'r bỳs gyda llawenydd gŵr a ddarganfu drysor wrth aredig. Yn un llaw, cariai biseriad o de llugoer a thwmffat, ac yn y llaw arall jar ddau alwyn ac ynddi ychydig ddafnau o betrol.

Serch ei syched mawr, methodd Kate ag yfed fawr o'r te.

'Ych! ma' 'na flas fath â paraffîn ar hwn.'

'Y lari gwirion 'ma sy wedi cario'r te yn 'run llaw â'r twmffat.'

''Na i farw, Nyrs?' holodd Kate a throi dau lygad bolwyn i'w chyfeiriad.

'Gnewch tad, fel pawb arall ohonon ni,' atebodd Nain Nyrs, 'rywbryd. Heblaw, laddodd blas paraffîn neb erioed, ne' mi fasa' Ifan Ifans 'ma 'di marw ers blynyddoedd. Cym'rwch gegiad fach arall o'r te 'ma i dorri'ch sychad.'

'Dim diolch i chi, Nyrs.'

'Wel, chi ŵyr ora', 'mach i.'

Wedi diodi'r bỳs, daeth y gyrrwr yn ôl i fyny'r grisiau â'i lawenydd heb lwyr sychu.

'Mi fedra' i danio'r bỳs 'ma rŵan, unwaith bydd y petrol 'di rhedag i'r carbiretor.'

'Ifan Ifans, 'dwi am i chi fynd â Kate 'ma i dỳ 'i mam i Ros Botwnnog.'

'Be?'

'Ac mi ddo' inna hefo chi, os tarwch chi 'y meic i yn y trwmbal.'

'Ond prin ddigon o betrol s'gin i i gyrra'dd i Bwllheli, a chym'yd llwybr brân.'

Anwybyddodd Nain Nyrs resymeg y Paraffîn a dweud yn siriol, 'Twt, fel y blawd yng nghelwrn y wraig weddw honno, mi eith yn bellach wrth wneud cymwynas. Mi fyddwn ni'n dwy yn barod pan fyddwch chi.'

Erbyn hyn roedd gwawr arall wedi hen dorri, yn goch ac yn ddrycinog. Wrth godi o'i sêt i fynd allan i droi handlen y bỳs syrthiodd llygaid y gyrrwr ar y clap a gysgai gyda'i fam, a'r fam erbyn hyn yn chwyrnu'i hochr hi. Daliodd ei anadl am eiliad, cyn holi'n bryderus, 'Deudwch i mi, Nyrs, os gin i faw ar 'y sbectol ne' rwbath.'

'Ddim hyd y gwela' i, Ifan Ifans. Pam 'dach chi'n holi?'

'Wel, mi faswn i'n cym'yd fy llw ma' babi du s'gin Kate 'ma.'

Rhoddodd Nain Nyrs fys rhybuddiol ar ei gwefusau a dechrau siarad mewn sibrydion, ''Dach chi'n iawn, gwaetha'r modd.'

'Wel, sut gythril y cafodd y beth bach fabi du ym Mhen Llŷn o bob man. 'Dach chi'n siŵr nad isio rhoi wash iddo fo sy?'

''Fasa'r peth bach yn gwynnu dim, 'tasach chi'n 'i olchi o efo dŵr a soda o fora gwyn tan nos. Fforinyr ydi o, ac ma' gin i ofn ma' fforinyr fydd o. Ar y Winston Churchill 'na mae'r bai.'

Rhyfeddodd Ifan Ifans â mawr ryfeddod, wedi camddeall ergyd y sylw. Holodd, 'Wel, pryd yn enw'r adar y buo'r sbangi hwnnw ffor'ma ddwytha? Heblaw, mae o'n ddigon hen i fod yn daid i'r beth bach.'

'Trystio *chi* i gamddeall,' meddai Nain Nyrs. 'Deud rydw i ma' fo a'i debyg sy'n gyfrifol am anfon ermyn o bob lliw i Borth Neigwl ac i Benybarth. Wedi gori allan ma'r beth bach, fel 'i mam o'i blaen hi, a'i nain o ran hynny.'

Deffrôdd Kate y foment honno, yn union fel petai hi wedi dal cynffon y sgwrs a chlywed edliw mynych wendid ei theulu iddi. Syllodd ar yr un bach yn gorwedd yn ddibryder ar ei mynwes. Holodd. 'Tebyg i bwy 'dach chi'n 'i weld o, Nyrs?'

'Anodd i mi ddeud, Kate bach, nes bydd hi 'di g'leuo rhagor.'

'Fydd raid i mi ga'l enw iddo fo, bydd?'

'Bydd 'n brenin.'

Fel roedd y Paraffîn yn cychwyn i lawr llwybr y bỳs, cafodd Kate y peth tebycaf i weledigaeth.

'Y . . . Ifan Ifans?'

'M . . . Ia, Kate?'

'Mi galwa' i o'n Ifan, os ca' i.'

'Su'dach chi'n geirio?' holodd y dreifar yn mawr obeithio bod ei glyw yn dirywio.

'Wrth ma' chi o'dd hefo mi pan gafodd o 'i eni.'

'Cym'wch gythra'l o ofal . . .'

Neidiodd Nain Nyrs i'r adwy a serio dau lygad mileinig ar Ifan Ifans Paraffîn.

'Be s'arnoch chi, ddyn. 'Dach chi 'rioed yn ormod o styc-yp i blentyn bach amddifad, diamddiffyn, na 'nath o gam i neb 'rioed ga'l cario'ch enw chi?'

'Ond, Nyrs bach, be ddyfyd pobol?'

'Ydi peth felly o dragwyddol bwys?' gofynnodd y Nyrs yn flin fel iâr ori.

'Wel . . . y . . . gin i 'ngharictor i' gadw 'does?'

'Finna'n meddwl 'ych bo' chi 'di colli hwnnw ers pobeidia'. A pheth arall, siarad 'neith teulu'r glep hyd yn oed 'tasa' Kate 'ma'n galw'r truan yn Gandhi.' Trodd i wynebu'r fam ifanc a

21

dweud yn ffeind, 'Kate, 'nghariad i, galwch y peth bach yn Ifan, os 'dach chi'n c'nesu at yr enw. Mi fydd yn help i chi gofio Ifan Ifans a'i garedigrwydd i ni noson 'i enedigaeth o.'

'Diolch, Mistar Ifans,' meddai honno'n siriol wedi setlo ar enw'r bychan yn derfynol.

Trosglwyddodd Ifan Paraffîn ei gynddaredd i handlen y bỳs a thaniodd honno gyda'r tro cynta' a dechrau troi drosodd mor esmwyth ag injian bwytho. Dringodd i sêt y gyrrwr a chychwyn ar y siwrnai'n ôl i Bwllheli *via* Rhos Botwnnog.

Yn ôl y frân wen, roedd hi'n de ddeg ar William Huws a'i hwch yn cyrraedd yn ôl i Beudy'r Gors ac, yn ôl yr un ffynhonnell, yn y cwt, gyda'r hwch, y cafodd ei ginio. I'r mwyafrif o'r ardalwyr y ddau nodyn canlynol yn yr *Herald Cymraeg*, o dan y pennawd — 'O Borth Neigwl i Ben y Garn', gyda'r is-deitl 'Ymadawiad a Dyfodiad', a ddaeth â'r newyddion i olau dydd.

Ymadawiad

Gyda gofid y deëllir am ymadawiad Mrs. G. Huws, priod W. Huws, Beudy'r Gors, â'r fro. Bwriada Mrs Huws ymgartrefu ym Mhwllheli gyda'i chwaer. Eiddunwn iddi bob diddanwch wrth iddi ddychwelyd i drigiannu yn ei hen dref.

Dyfodiad

Roedd yn llawenydd cyffredinol i ddeall am enedigaeth plentyn cyntafanedig i Miss Kate Evans, Nythle, Rhos Botwnnog, ond a wasanaethai'n flaenorol fel morwyn yn Nhyndir. Deëllir bod y fam a'r plentyn yn ymlyfu ac y gelwir y bychan yn Evans, o barch i Mr. E. Evans, gyriedydd gyda chwmni'r Crosville, a gynorthwyai ar achlysur yr enedigaeth.

Yr Hôm Gard

''Shgwlwch 'ma 'nawr. Heno 'ni'n mynd i ddysgu'r *Panther Crawl*. Chi *yn* gyfarw'dd â'r *Panther*?'

Pendiliodd sawl un ei ben o ochr i ochr i ddangos annealltwriaeth lwyr ond 'doedd neb yn fodlon mentro ateb y Sarjant.

'Reit, 'da'ch gily', bois. *On yer tummies!*'

Ymdrechodd bagad o ffermwyr bol-dynn a'u gweision gwargam, daliwr cwningod neu ddau, dau neu dri o grefftwyr rhy afiach i'r Fyddin, person plwy', dynion War-Ag, siopwr, postman mewn gwth o oedran, dreifar bỳs, hogia' ar y Dôl ac un neu ddau arall i ufuddhau, ond gyda chryn duchan. Clywyd mwy nag un badell ben-glin yn clecian o dan y straen.

'Hawyr bach, chi'n gwmws acha haid o hen fenywod ym Mhorthcawl, ar drip Ysgol Sul. Pob un ar 'i fola w. 'Na 'wedes i!'

Pe byddai o wedi gorchymyn i Dwalad Felin Eithin neu William Huws Sgubor Ddegwm, dyweder, ddal dafad a'i throi hi ar ei chefn byddai'r ddau wedi gwneud hynny mor ystwyth sbriws â dynion syrcas ond gwaith cwbl anghynefin i wŷr cefn gwlad oedd ymdreiglo ar eu boliau ar lawr pren Neuadd yr Eglwys ym mhentre Llangïan.

Trodd at Limerick y Person, a gâi'r anhawster mwyaf i benlinio heb sôn am nofio ar ei fol.

'Yffarn dân, 'ti'n gwmws acha morfil ar dir sych. Llai o'r lla'th mwnci 'na yn y New Inn o hyn 'mla'n, gw'boi.'

Cerddodd ias o gywilydd drwy'r rhengoedd o glywed y Person yn cael ei iselhau fel hyn, serch ei holl wendidau. Wedi'r cwbl, mae gelynion oddi mewn yn gyfeillion rhag y gelyn oddi allan. Dechreuodd mwy nag un drydar ei anfodlonrwydd, ond o dan ei wynt.

'Limerick druan.'

'Un peth 'di bod yn feddw 'te.'

'Ma'r peth yn peri i 'ngwaed i ferwi.'

'A finna'.'

Llipryn eiddil o'r Sowth a ddaeth i Bwllheli i hel insiwrans, a bod yn ddigon llygadog i briodi unig ferch maer y dre ar y pryd, oedd y Sarjant Rees. Y fo a gomisiynwyd gan y Swyddfa Ryfel i roi trefn ar yr L.D.V., yn lleol, wedi i Anthony Eden, ym mis Mai 1940, alw ar bob dyn rhwng dwy ar bymtheg a phump a thrigain — os oedd o'n abl i roi'i ddwy goes heibio'i gilydd — i ffurfio byddin i warchod eu cymdogaethau. Pan ailfedyddiwyd y gwarchodlu yn *Home Guard* yr Awst canlynol, cafodd Dai Rees ei ddyrchafu'n Sarjant gyda chyfrifoldeb am hyfforddi'r gwirfoddolwyr mewn tactegau amddiffyn. Ond, cyn pen pythefnos, roedd haerllugrwydd y Sarjant — a fedyddiwyd gan yr hogiau yn Napoleon — wedi troi dau ddaliwr cwningod digon cymedrol, ac un dreifar tractor, yn Natsïaid penboeth ac yn prysur yrru'r gweddill yn wrthwynebwyr cydwybodol i bob amddiffyn.

''Da'r *Panther Crawl* 'ni'n symud acha *panthers*. Reit?'

'Acha be?' holodd hen ŵr Pant-y-Pistyll heb glywed yn iawn.

'Panther . . . y twpsyn.'

'O! A diolch i chi,' ebe'r hen frawd.

'G'randwch 'nawr, yn ofalus. Nagw i'n mynd i 'weud popeth ddwyweth wrthoch chi. 'Wy'n moyn i bawb dwtsh y llawr â'i drwyn. Reit 'te? 'Da'ch gily' 'nawr. *Heads bend.*'

Bu ergyd fain, fel o wn caps, a chwalwyd cwarel yn un o ffenestri'r Neuadd yn siwtrws mân.

Neidiodd y Sarjant mewn braw — un nerfus oedd o ar y gorau — ond daeth ato'i hun yn weddol handi.

'P-pwy ollyngws ergyd 'nawr? Heb 'weud sgiws mi.'

'Fedra' i egluro i chi, syr, os ca'i,' mentrodd John Defi Plas Crwth yn foesgar.

'Galw fi'n Sarjant. Reit? Y canibal.'

'Thenciw.'

''Na fe. Cer 'mla'n. Gwêd be sy'n dy fola di.'

'Wel, sy . . . m . . . Sarjant, un o fotymau cefn trowsus y Parchedig Limerick lyncodd 'i ben o dan straen, fel roedd o'n trio plygu . . . A thorri ffenas' 'te?'

'Isio g'neud i ffwrdd â'r personiad 'ma sy a throi'r eglwysi a'r capeli 'ma yn ffatrïo'dd, yn llefydd i'r hil ddynol ga'l ennill 'i bara menyn, a . . .'

'Ca' dy ben, y Garibaldi.'

Rhoddodd y Sarjant gaead buan ar biser Sowth Now fel y'i gelwid, llanc o Fynytho a aeth i Donypandy am dri mis yn niwedd y dauddegau, i weithio mewn pwll glo a dychwelyd i'r 'North', chwedl yntau, yn gomiwnydd ac yn fath o anffyddiwr cenhadol yn byw ar y Dôl.

'Ond mi ddudodd Tom Payne . . .'

'Ga' dy gleber, 'na 'wedes i. Ti yw'r *pain in the neck* i fi w.'

Cerddodd y Sarjant yn bendant, bwysig i gyfeiriad y Person a orweddai ar ei fol yn fyr o wynt, fel morfil afiach wedi colli'r llanw, a'i fresys rownd ei wegil.

'Ti ollyngws yr ergyd 'na? . . . A tithe'n 'ffeiried he'd.'

Cerddodd yn ôl yn hamddenol i'w safle blaenorol a chyfarch pawb.

''Chi'n 'y hala i'n grac 'nawr. Sawl gwaith 'wy' wedi'ch comando chi i wisgo beltie. Reit? Belt s'da milwr iawn, nage *braces*. Rheol *W.O.I. 562478* stroc *132* . . . Reit. Penne i lawr unweth 'to, a breichie 'mla'n.'

Llwyddodd y rhan fwyaf o'r gwarchodlu i gyffwrdd y llawr pren â'u trwynau ac fe gynorthwywyd y gweddill gan Rees, a âi o gwmpas i gydio ynddyn nhw gerfydd eu gwalltiau a sodro'u trwynau i'r llawr yn gïaidd.

'Pawb i dwtsh y llawr â'i drwyn, 'na 'wedes i. Jawl, nagw i wedi dod lan *all the way* o'r Sowth i 'whare *musical chairs*.'

Wedi gwasgu sawl trwyn i'r llwch, cerddodd yn filwrol ei gam yn ôl i'r ffrynt i yrru ymlaen â'r ymarfer.

''Da'r *Panther Crawl*, a fydda' i ddim yn gweud hyn fwy nag unweth, chi'n tynnu'ch hunan 'mla'n 'dach breichie ar 'ych bola. Reit? Pan fydd Hitler yn lando 'ma, fydd e'n saethu pob un fydd yn sefyll ar 'i dra'd. 'Nawr 'te. 'Dach gily'. *At the double*.'

Edrychent fel haid o bryfaid genwair wedi'u palu i olau dydd — pawb yn ymdrechu i ymdreiglo'n araf i wahanol gyfeiriadau rhag y llid oedd i ddod. Troi ar gylch yn eu hunfan a wnâi y rhai boldewion, fel Limerick y Person, ond tuedd eraill oedd ymdreiglo ar ogwydd a mynd yn benben â'i gilydd a brifo.

Roedd Huw Williams Bryniau Rhedyn, a oedd yn tynnu at ei bedwarugain ac wedi gwadu'i oed er mwyn cael ymuno, yn nofio'i hochr hi yn y rhes flaen pan deimlodd ei hun yn mynd yn sâl. Ymdrechodd i godi ar ei draed ond nid mewn pryd yn hollol; taflodd i fyny ar gylch eang ond yn fwyaf arbennig dros dopiau sgidiau armi Sarjant Rees.

'Y mochyn cythrel i ti, yn 'hwdu.'

Cododd y fyddin ar ei thraed yn llawer cyflymach nag yr aeth i lawr a'r gwerinwyr tawedog yn barod i gychwyn gwrthryfel yn y gwersyll. Hen frawd duwiol, agos iawn i'w le, oedd hen ŵr Bryniau Rhedyn a pharch dwfn iddo yn y fro a theimlai pawb i'r byw o'i weld yn cael ei sarhau fel hyn yn ei wendid, yn arbennig felly Ifan Ifans Paraffîn.

''Dach chi ddim yn sylweddoli, frawd, bod 'rhen Huw yn giami? 'Ta fyddwch chi ddim yn taflu i fyny tua'r Sowth 'na?'

''Dach chi'n teimlo'ch hun yn criwtio, Huw Willias?' holodd John Defi Plas Crwth yn llawn teimlad.

''Gynnoch chi well lliw rŵan,' ebe un arall.

'Yr Eglwys 'di'r drwg,' dyfarnodd Sowth Now, 'ffact i chi.'

Cododd amryw eu lleisiau mewn protest.

'Yr Eglwys?'

'Be' ma' honno 'di 'neud?'

'Ond 'glwyswr mawr ydi 'rhen Huw.'

'Honno 'dir' drwg,' meddai'r Sowth wedyn. 'Neuadd yr Eglwys ydi'r dam lle 'te? A 'tasa' Meiji Jên, Siop-y-post heb sgwrio'r lloria' 'ma, yn enw'r Eglwys, hefo sebon carbolig, cyn i'r soldiar pren 'ma sodro'n trwyna' ni yn y llawr 'fasa' Huw Willias mor iach â chneuan i chi. Yn y feri pendraw, ar yr Eglwys ma'r bai.'

Bu hyn, ar ben y colli botwm, yn ormod o straen i'r Person. Cydiodd mewn bidog a serio dau lygad bolwyn ar y ffasgydd o Fynytho.

'Y pagan i ti. Mi . . .'

Rhuthrodd Huw Williams, serch ei wendid, i lawes ei grysbas ac erfyn arno, 'Ymbwyllwch frawd.'

'Dŵr am 'i ben o, Mistar Limerick bach,' ebe Gwilym Cwningod mewn iaith a oedd yn gyfarwydd i'r ddau ohonyn nhw fel ei gilydd.

Wedi brwydr, llwyddodd dau neu dri o'r rhai cryfaf i atal y Person cyn iddo fo blannu bidog o'r Rhyfel Byd Cyntaf ym mherfedd Sowth Now yn y fan a'r lle.

'Gyfeillion annwyl, ddylan ni ddim tywallt gwaed yn enw'r Hôm Gard,' apeliodd Huw Williams drachefn.

Safai Napoleon, druan, ar gwr y berw, fel hwsmon ar dalar a'r wedd wedi dianc o'r tresi.

'Na wir, peidied neb â beio'r Lân Eglwys,' meddai Huw Willias, gan siarad am y drydedd waith. 'Ar Musus 'cw o'dd y

bai, yn berwi clamp o nionyn i mi i swpar, fel ro'n i'n cychwyn.
Hwnnw ddaru droi arna' i a chodi pwys gloesi. Ro'n i'n clywad y
sglyfath yn pwyso arna' i fel roedd y gŵr bonheddig 'ma yn
gorchymyn i mi orwadd ar 'y mol a phan ddaru o waldio 'nhrwyn
i yn y llawr pren 'ma, mi a'th yn big arna' i. Ar Magi'r wraig 'cw
ro'dd y bai.'

Trawodd Ellis Lloyd y Saer, fodd bynnag, nodyn mwy
ymarferol.

''Fasa' ddim gwell ca'l Meiji yma hefo'r bwcad a'r mop? Ne'
mi fydd y slwdj 'ma dda'th Huw i fyny wedi fferru'n gacan ulw.'

'Mi a' i i' chodi hi o'r ciando, achos 'dwi isio pacad o wdbeins
beth bynnag.'

''Na ti. Ac yli Sowth, os na chodith hi tafla garrag drw' ffenas',
ddyla' ddeffro felly. Mi awn ninna' â'r hen Huw 'ma adra
dow-dow.'

'M . . . *Stand at ease . . . please. An' dismiss.*'

Bloeddio o bellter wnaeth y Sarjant, heb fawr argyhoeddiad,
yn ŵr â'i grib wedi'i dorri i'r byw. Erbyn hynny, roedd hogiau'r
Hôm Gard wedi'u diswyddo'u hunain ac yn hel eu gêr i
gychwyn am eu cartrefi.

Ciliodd yntau, yn ŵr wedi colli'i stwffin, i un o'r ystafelloedd
cefn i rinsio'i sanau a golchi'i sgidiau wedi'r ddamwain.

*   *   *   *

Pan ailymgynullodd y gwarchodlu i'r un neuadd ymhen yr
wythnos roedd yr esgid eisoes wedi'i symud i'r droed arall a
Sarjant Rees, o'r herwydd, yn felysach gŵr.

''Nawr 'te, bois, heno 'ma 'ni'n myn' i ddysgu'r *Gorilla Stalk*.
'Da'ch caniatâd *chi*, on'dyfe?'

'Dysgu be?' arthiodd un o'r milwyr drama o gefn y Neuadd.

'Y *Gorilla Stalk* w. Chi'n gweld, bois, ma'r *Panther Crawl* yn
ffamws liw dydd ond ma'r *Gorilla*, fel 'ni'n galw'r mwf, yn llawer
gwell liw nos . . .'

28

Torrodd Ifan Paraffîn ar ei draws o'n siort. Roedd ganddo lond bỳs o ermyn o Benyberth mewn dawns yn Neuadd Sarn Meillteyrn yn disgwyl am bàs adref.

'Wel rŵan, Rees, eglurwch i ni, mewn rhyw lun o Gymraeg y medrwn ni 'i ddallt o, be ydi'r peth mwnci 'ma 'dach chi'n byddaru'n 'i gylch o.'

Fe'i heiliwyd gan amryw o'r milwyr.

'Ia wir.'

'Yn hollol felly.'

''Nawr 'te, bois,' a chodi'i law i erfyn am osteg. ''Da'r *Gorilla Stalk* 'chi'n cer'ed acha *gorilla*. Reit?'

'Wel, be 'tasach chi, Rees, yn rhoi ryw lun o dop-lein ac yn dangos inni be' i' 'neud.'

Un drygionus oedd Gwilym Cwningod, yn berwi o ddireidi. Eiliodd amryw, unwaith yn rhagor.

'Ia.'

'Dangoswch *chi* i ni.'

'Rhowch dop-lein.'

''Na fe 'te, diolch. 'Nawr chi'n dodi'ch breichie 'mla'n fel hyn, a 'na chi'n cwnnu'ch coese lan nes bo'r penlinie yn twtsh â'r ên. Reit? Fel hyn, w.'

A dechreuodd y Sarjant, dlawd, stampio amgylch-ogylch Neuadd yr Eglwys fel ryw ieti cyntefig a hwnnw wedi dal yr haul.

'Ma'r *Gorilla,* w, yn ffamws ar gyfer y jyngl.'

Anghytunodd Sowth Now yn chwyrn.

'Diawl, 'runig jyngl y gwn i amdani ydi gwinllan Nanhoron. A 'taswn i'n mynd i fan'no, a chodi 'nhraed fel'na, mi fasa' rywun yn siŵr dduwch o f'anfon i i'r Seilam, a nhw fasa'n iawn, ylwch.'

'Mi rydw inna', os ca'i ddeud,' meddai Gwilym Cwningod, yn fwy tringar, 'o dan brotest felly, yn fodlon cripian ar 'y mogal rownd y gymdoga'th 'ma fel panthar ond fasa'n well gin i joinio'r Armi nag actio blwmin mwnci hyd lle 'ma. Argol fawr, Rees, ma' 'na bendraw i bob smaldod.'

29

''Na fe 'te, chi'n fwy cyfarw'dd â'r *area* hyn na fi. M . . . be am yr *Ostrich Trot* 'te? Ma'r mwf hynny'n gŵd i fynd yn gro's i borfa. Chi'n . . .'

Ond cyn i'r Sarjant gael egluro torrodd John Defi Plas Crwth, hen lanc gofalus o'i geiniog, ar ei draws o a'i yrru oddi ar y trywydd.

'Ro'n i'n ca'l ar ddallt yn y 'pura' newydd, Sarjant Rees, bod y Llywodraeth yn rhoi lwfans i ni at redag beic. Fedrwch chi gadarnhau'r peth i mi, os nag ydi o'n ormod o draffarth?'

''Wy'n credu bo' 'na'n wir.'

'Ond John Davies, annw'l,' ebe Dwalad Felin Eithin, un o'i gyd-flaenoriaid yn Smyrna, 'hyd beic sgynnoch chi o Blas Crwth i'r Neuadd 'ma.'

'Hidia di befo am hynny, mae o'n lot i mi. Heblaw, mi rydw i 'di ca'l pump pyngtsiar 'rwsnos yma'n barod. Ac wedi colli 'mhwmp beic hefo'r blacowt cythril 'ma. Rees, 'newch chi ofyn i'r Churchill 'ma fedra' i ga'l rhyw flewyn bach gynno fo at y costa'?'

''Wy' eisws 'di gwneud *note* o'r peth, M . . . Mistir Davies. Thenciw.'

''Run fath i chitha' 'te.'

Ond o weld drws trugaredd yn cael ei gilagor mor rhwydd, penderfynodd eraill hefyd ddal ar y cyfle i gerdded i mewn trwyddo. Cafodd y Sarjant gais ar iddo ofyn i Churchill am bopeth o baraffîn ar gyfer cerddwyr i alwyni o betrol coch ar gyfer y rhai o bell a gyrchai i'r neuadd ar dractor. Fodd bynnag, aeth Napoleon i ben ei dennyn pan ofynnodd gwas Neigwl Ganol am 'alowans at wadnu sgidia''.

'Chi'n wila nonsens 'nawr, frawd.'

'Diawl, raid i mi gerddad, bydd. 'Sgin i ddim 'denydd 'nago's?'

''Nawr 'te bois, chi'n gyfarwydd â'r *Ostrich Step*. Chi'n cerdded yn gwmws acha *ostrich*.'

Un yn gweld ymhell oedd y cwningwr. Osiodd i ofyn cwestiwn.

'Ydi o'n g'neud ryw sens, Rees, 'n bod ni'n practisio lladd 'n gilydd mewn ryw nyth cath o gwt sinc fel hwn a'r Bod Mawr wedi rhoi llond gwlad o gaea' i ni ar gyfar y job?'

'Ma'r Swyddfa Ryfel yn moyn'n bod ni'n dysgu'r mwfs reit cyn bo' ni'n starto ma's.'

'Nefi binc, 'fasa' hi'n haws o beth cythraul i fi a 'nhebyg actio ostrij ar gae 'gorad, lle ma' 'na le i rywun ledu mymryn ar 'i 'denydd.'

'Mewn caea' y cewch chi ostrijisys,' eglurodd gwas bach Deuglawdd yn arwynebol ddoeth. 'Wel yn y gwledydd pell 'na, beth bynnag. 'Welais i lun un yn y *Cenhadwr,* mis dwytha'.'

'Isio dysgu saethu'n gilydd a bellu 'dan ni, Rees, nid isio dysgu actio blydi adar,' ychwanegodd Ifan Paraffîn gan roi rhagor eto o lo ar y tân.

'Maen nhw'n deud i mi bod yr Hôm Gard tua'r 'Berch 'na yn ca'l chwara' rhyfal go iawn ar Drwyn Penychain,' ebe'r Saer wedyn. 'A bod nhw'n pupro tina' 'i gilydd hefo powdwr gwn.'

'Dyna fo,' meddai Gwilym Cwningod yn teimlo'r llanw'n troi o'i blaid. 'Ac ma'r feri peth yn digwydd tua Mynydd Nefyn 'na 'nogystal. Ma'r sarjant s'gynnyn nhw'n fanno'n hollti'r fyddin yn ddwy ac yn 'u dysgu nhw i ladd 'i gilydd yn 'rawyr agorad. Ma' 'na hogyn i gwneithar i'r ddynas 'cw wedi bod yn Jyrman, deirgwaith, ac wedi'i ladd fel Britis', unwaith.'

Cafodd y syniad groeso brwd rhyfeddol a Huw Willias, serch ei oed, mor frwd â neb ohonyn nhw.

'Lle i fagu diciáu ydi ryw gwt tun fel'ma. Laddodd mymryn o awyr iach neb 'rioed.'

Sylweddolodd Sarjant Rees mai tywod oedd y tir o dan ei draed ac na allai yntau, mwy na'r Brenin Caniwt o'i flaen o, droi'r llanw'n ei ôl ond ceisiodd arafu'i ymchwydd.

'Cŵl hèd 'nawr, bois. Platŵn fach s'da ni, on'dyfe? 'Sdim digon o ddynon 'da ni i rannu'n ddwy fyddin w.'

Ond roedd y platŵn eisoes wedi llyncu'r syniad, y bachyn a'r cwbl.

'Wel, ymladd rhyw Hôm Gard arall 'te, Rees?'

'Ca'l ffeit rhwng dau bentra 'te.'

'Felly maen nhw'n g'neud yn Scotland.'

'Wel . . . m . . . ma' 'na'n bosib . . . spo.'

'Gewch chi drefnu ar 'n cyfar ni at y tro nesa', Sarjant.'

Dechreuodd y fyddin ymddatod yn gyflym a heb ganiatâd.

'Hwyl i chi rŵan, Rees.'

'Da bo' chi, giaffar.'

'Stand at ease . . . Dismiss!'

Wrth neuadd hollol wag.

★   ★   ★   ★

Erbyn noson y frwydr arfaethedig rhwng catrawd Hôm Gard Glannau Afon Soch ac un llethrau Garn Fadryn a'r Cylch, roedd y Sarjant wedi ailfagu mymryn o'i asgwrn cefn ac yn ailddechrau bytheirio ar bawb. Y camgymeriad cyntaf ar ei ran oedd trefnu'r cyrch ar noson cynhaeaf gwair; roedd dwy ran o dair o'r gwarchodlu'n hwyr yn cyrraedd at y neuadd ac wedi hen flino cyn dechrau brwydro.

'Reit. *Fall in!* . . . 'Wy'n moyn inspecto shwt arfe s'da chi ar gyfer yr wmladd.'

Ymlusgodd y dynion i ffurfio cynffon mochyn o reng flêr a cherddodd Napoleon, yn filitaraidd ei gam, o filwr i filwr i archwilio'r arfau amrywiol. (Yn nyddiau cynnar y Rhyfel, cyn i'r gynnau swyddogol ddod i'r fei, roedd yr amgueddfa ryfeddaf o arfau'n cael ei chaniatáu ac yn dderbyniol.) Pan gyrhaeddodd at Huw Williams Bryniau Rhedyn â phladur miniog ar ei ysgwydd, safodd ar untroed oediog a holi.

'Hawyr bach! Beth yw hwn s'da ti?'

'Bladur, Sarjant.'

'Ma's ag e.'

'Ond . . .'

32

'Ma's ag e. 'Na wedes i. *Out!*'

Penderfynodd yr hen ŵr ddal ei dir.

'Ond 'tydi'r Beibl yn ein gorchymyn ni i droi'n pladuriau'n waywffyn, Rees. Heblaw, ma' gin i fin fel rasal ar hwn, ylwch.'

Cydiodd yn nau ddwrn y bladur a thorri gwanaf o ddail poethion dychmygol yn union o dan droed y Sarjant a lwyddodd, o fewn trwch asgell gwybedyn, i neidio dros y llafn mewn pryd.

'Mi faswn i'n medru medi petha' Garnfadryn 'na hefo hwn 'swn i ond yn ca'l caniatâd i'w ddefnyddio fo.'

Ceisiodd amryw ei ddarbwyllo.

'Trosol s'gin i, ylwch,' meddai John Defi, a dangos. 'Ma'r sglyfath fymryn yn drwm i' gario ond mae o'n falwr esgyrn dan gamp. 'Fasa'n well i chitha' drosol, Huw Willias.'

'Perygl pladur ydi brifo'i pherchennog,' eglurodd Ellis Lloyd y Saer yn gymedrol. 'Diaist i, mi ellwch 'neud mwy o ddamej i ni nag i'r gelyn. Gada'l y peth adra, dyna fydda'r diogela.'

'Ma'r bladur ma's. Reit?'

Yn ffodus, roedd Ifan Ifans Paraffîn yn cario dau arf — cryman miniog a phwmp beic wedi'i lenwi'n barod â gwenwyn marwol, medda fo — a chafodd hen ŵr Bryniau Rhedyn ei ddewis o un o'r ddau. Syrthiodd Huw Williams am y cryman miniog.

Wedi archwilio gweddill yr arfau, ac yn eu plith ambell i wn ffarm, oedodd y Sarjant i roi cyngor neu ddau i'r gatrawd cyn iddi gychwyn allan.

''Shgwlwch 'ma 'nawr, 'ni'n mynd i wmladd y frwydr hyn o dan amode rhyfel. Reit?'

'Iawn, Rees.'

'Fydd Hitler, wedi iddo fe lando'n Hell's Mouth, yn bloco'r ffyrdd lan a 'wythu'r pontydd bant. *So* 'ni am fynd gro's i'r caea'. Fel bo' ni'n practisio'r *Ostrich Trot,* on'dyfe? A 'na fyddwn ni'n croesi'r afon. Reit?'

Ymrwyfodd Morris Williams, Llenorfa i ofyn cwestiwn, gan

siarad fel yr ysgrifennai, yn arddull yr *Herald Cymraeg* cyn y Rhyfel Byd Cyntaf.

'A oes caniatâd i mi ofyn cwestiwn, Rhingyll Rees?'

'Cer 'mla'n, Pickwick.'

'Mi hoffwn i ymholi, Rhingyll Rees, gyda'ch caniatâd parod chi, a yw ein harfau ni yn ddigonawl i gwrdd â'n gelyn? Mae o eisoes wedi dod i'm clyw i bod gan ein gwrthwynebwyr ni un *Smith Gun*, dau *Northover Projector* a sawl *Pike a Fail*.'

''Wy'n gweld be s'da ti, Pickwick.'

'Dim ond cwestiwn byr felyna, Rhingyll Rees.'

'Diawl, Morris, ambarél a weiran bigog rownd 'i blaen hi s'gynnoch chi,' sylwodd Sowth Now yn arferol wrthryfelgar.

'*Morning Star* yw hwn, fy mrawd.'

Morris Williams, Llenorfa oedd yr unig un o'r cwmni a ddarllenai bapur Saesneg yn ddyddiol — er mwyn dwyn ambell i bwt o newyddion — ac, o'r herwydd, roedd o'n fwy hyddysg na'r Sarjant yn y math o arfogaeth a ganiateid i'r Hôm Gard ac yn gyfarwydd hollol ag erchyll bethau'r Rhyfel.

Yn dilyn y sylwadau hyn bu cryn drafod ar sut i gryfhau'r arfogaeth. Unwaith eto, y gohebydd lleol a gafodd yr ateb.

'Tybiaf, y Rhingyll Rees, mai paratoi *Molotov Cocktail* bach neu ddwy a fyddai'n fwyaf ymarferol.'

'Shwt wyt ti'n gweud, Pickwick?'

Eglurodd Morris Williams mai bomiau wedi'u paratoi gartref oedd y *Molotovs* a bod y Swyddfa Ryfel yn eu cymeradwyo'n gynnes ac yn cymell yr Hôm Gard i'w defnyddio ar bob achlysur ffrwydradwy posibl.

'Ma' 'na'n newy' i fi, 'wy'n cyfadde'.'

'Y cwbl sy'n angenrheidiol at y gwaith,' esboniodd Morris ymhellach, 'yw poteli cwrw gweigion, ychydig ddafnau o baraffîn a mymryn o goltar.'

''Wy'n gweld. A ma' 'da ni *Ifan* Paraffîn 'nawr,' a chwerthin. (Ni chwarddodd neb arall.) 'Syniad ffamws, Pickwick.

'Shgwlwch 'ma 'nawr. O's *un* ohonoch chi fydde'n fo'lon mynd mor bell â'r daf . . .'

Cyn i Napoleon ddarfod y gair 'tafarn' dyrchafwyd coedwig o ddwylo parod i entrych nen.

'Fydde disgw'l i chi baratoi'r bomie ar ffordd 'nôl, fel bo' ni'n gallu'u defnyddio nhw 'nes 'mla'n. Reit?'

Arhosodd y dwylo i fyny, hyd breichiau, serch y perygl posib'. Yn wir, bu'n rhaid i'r Sarjant Rees chwilio am ddau welltyn o hydau gwahanol i dynnu'r gwirfoddolwyr i lawr. Wedi peth anghytuno syrthiodd y coelbren ar ddau anghymarus ryfeddol, Sowth Now, y ffasgydd a'r anffyddiwr, a'r Parchedig Limerick, bugail eneidiau'r plwy.

'Dewch i gwrdd â ni, boitu hanner ffordd. Reit? A'r bomie 'da chi. 'Chi'n dyall? Yn garcus nawr. Ma' bomie'n bethe bach danjerus, w . . . O! ie. Dim lla'th mwnci 'nawr, chi'n dyall 'na?'

Ond erbyn hynny roedd y ddau allan o glyw.

Cychwynnodd y gweddill o'r traeth i gyfeiriad y Garn, yn filwriaethus eu sgwrs a Napoleon yn brasgamu ar y blaen. Collwyd un o'r milwyr o'r rhengoedd cyn pen chwarter milltir. Gwelodd gwas bach Deuglawdd hogan fenga' ond un Phillips y Gweinidog Batus yn pwyso ar giât Tŷ'n Cae a phenderfynodd y ddau gyrchu llechweddau Garn Fadryn ar eu pennau'u hunain i hyrwyddo cariad yn hytrach na rhyfel — serch i'r Sarjant fygwth saethu'r 'conji' a gorchymyn i'r ychydig a oedd â gwn wneud hynny.

Bu dwy ddamwain yn ystod yr ymdaith. Wedi cyrraedd i ben Allt y Crindir, gorchmynnodd y Sarjant i Ellis Lloyd y Saer a'r Paraffîn aros yno, i gau'r ffordd o'u hôl a pharatoi amddiffynfa.

''Shgwlwch 'ma bois, 'wy' am i chi'ch dou aros man hyn a bloco'r ffordd 'da'r goeden 'ma. Rhag ofn i'r jiawled ddod lan o'r tu cefen i ni a'n saethu ni'n 'n tine. Reit? Chi'n dyall be' s'da fi?'

'Iawn, Rees.'

'Fydd yn blesar, achan,' eiliodd y Paraffîn gan gofio am y dawnswyr a fyddai'n disgwyl bŷs.

'Reit 'te, y gweddill ohonoch chi, *fall in*. A *quick march*!'

Wedi cael sgwrs a smôc aeth y Saer ac Ifan Ifans Paraffîn ati i godi anferth o fonyn coeden, a oedd wedi'i lyfnhau'n grwn lithrig gan y blynyddoedd, a rhoi'r ddau ben i orffwyso ar ben dau gan llaeth gwag, un ymhob ffos, a'r saer yn cael ei blesio'n fawr yn y gwaith.

'Fasa'r Hitlar 'ma'n ca'l job i fyjio hwn 'tasa' fo'n digwydd dŵad heibio ar 'i ben 'i hun.'

Gan feddwl bod y Saer yn cydio yn y pen arall gollyngodd Ifan Paraffîn ei ben ef ei hun i'r polyn, i gael aildanio'i stwmp; disgynnodd y boncyff i'r ffordd a dechrau'i rowlio hi i lawr yr allt am y pentre a magu cyflymdra wrth fynd.

'Wel . . . s'gin i ond gobeithio, Ellis Lloyd, nag o's 'na ddim traffig yn dŵad ar i fyny.'

'Runig draffig ar y pryd oedd Phillips, Gweinidog y Bedyddwyr, yn cychwyn allan o'i dŷ ac i fyny Allt y Crindir, i chwilio am ei ferch. Safodd Phillips yn ei unfan am eiliad, ar ganol y ffordd, fel proffwyd wedi gweld gweledigaeth, yna, rhoddodd naid dros y boncyff — teilwng o unrhyw gangarŵ — a deifio i'r ffos. 'Reiliad nesa' neidiodd y boncyff, 'run mor hwylus, dros glawdd gardd Phillips yn nhro'r allt ac ar ei ben i'r tŷ gwydr.

Penderfynodd Ellis Lloyd y Saer ac Ifan Ifans Paraffîn adael yr amddiffynfa mor gyflym â phosibl a'i heglu hi am eu cartrefi. Un peth oedd atal Hitler ond peth arall, a llawer mwy peryglus yn eu tyb hwy, oedd codi gwrychyn Phillips, a mam Ifan Paraffîn, wedi'r cwbl, yn rhyw lun o Fedyddwraig ond ei bod hi heb gael ei throchi.

Erbyn hynny roedd y platŵn wrthi hi'n rhydio Afon Soch, a Napoleon, er mwyn eu paratoi at y dyfodol tywyll, wedi dewis un o'r trobyllau dyfnaf a pheryclaf posibl ar eu cyfer. Drwy gydio ym mhen ôl trowsus y naill a'r llall, cyrhaeddodd pawb y lan arall yn ddiogel ac eithrio Huw Willias Bryniau Rhedyn, yr hynaf o'r cwmni. Pan oedd o yng nghanol yr afon, collodd yr hen wŷr ei draed a gollyngodd ei afael ym mhen ôl trowsus y Sarjant a diflannu o'r golwg, ar wahân i flaen ei gryman benthyg. Gwilym Cwningod cododd o o'r dyfnder, gerfydd y llafn, a'i ddragio'n ddiogel i'r lan arall.

'Dda ar y naw, Rees, iddo fo syrthio am y cryman, ne' 'tasa'r bygar 'di syrthio am y pwmp beic, 'sa' hi 'di bod yn anodd gebyst i mi fod wedi'i achub o. A thasa'r bladur drom honno o'dd gynno fo ar 'i ysgwydd yn dal hefo fo, fasa' 'di sincio fel angor. Y . . . 'dach chi'n well, Huw Willias?'

Ond roedd 'rhen Huw yn rhy brysur yn carthu dyfroedd y Soch o'i grombil i ystyried ateb.

'*Fall in*!'

'Be, ydi'r dwlal 'ma yn disgw'l i 'rhen Huw neidio i'r afon eto?' holodd un o'r milwyr, wedi camddeall. 'Y twmffat gwirion iddo fo.'

'*An' quick march.*'

Cyn pen chwarter awr roedd yr hyn oedd yn weddill o'r gatrawd wedi cyrraedd cyffiniau tyddyn anghysbell o'r enw Poethwal ac yn eistedd ar eu cyrcydau, yma ac acw, fel trwdwns ar gae sofl. Yn y fan honno, heb ganiatâd tenant na meistr tir, y penderfynodd y ddwy Hôm Gard ymladd yr armagedon.

*   *   *   *

Wedi hir sefyllian yn yr oerfel — yn cuddio o'r tu ôl i faen llifo a sgerbwd trol, can llaeth a melin eithin — a'r dilladau, erbyn hyn, yn glynu i'r croen, penderfynodd y Sarjant newid tacteg. Sibrydodd.

''Shgwlwch 'ma bois, 'wy' am ddringo lan i do'r beudy 'co.'

'Y?'

'I fi ga'l gweld ble maen nhw.'

'Wel, cym'wch ofal gwraig feichiog, Rees bach,' cynghorodd John Defi yn garedig, 'ma'r llechi 'na'n un llysnafadd gwyrdd ac yn llithrig fel polyn sebon mewn ffair. Cym'wch ofal wir.'

37

'Paid â wilia nonsens, Methiwsla. 'Wy'n 'itha cyfarwdd â dringo, w.'

Roedd toeau beudai Poethwal ag un bargod iddyn nhw'n rhedeg i'r mynydd. Gyda help llaw i gychwyn ac ysgwydd i gamu arni, roedd hi'n bosibl i ŵr ysgafndroed ddringo i'w crib.

'Hwpa fi lan.'

'Y?'

'Rho help i fi w, i fynd lan i ben y to.'

Gyda'r cwningwr yn dal yn erbyn ei wadnau â'i holl egni, llwyddodd y Sarjant i grafangio i fyny'r llechi ar ei fol. Wedi cyrraedd i'r brig eisteddodd yno, yn ansicr, a'i goesau'n gamfaled o bobtu'r to, gan gydio fel cranc yn y grib.

''Sdim sein o'r *enemy,* bois.'

Ar hynny clywyd ergyd ysgafn, swatiodd pawb a phlygodd Sarjant Rees ar grib y to nes ei fod o'n ei ddauddwbl.

Lilly O'Malley oedd yno, yn dod allan o'r tŷ ac yn ei hunioni hi am y beudy a'r lamp stabl yn dawnsio yn ei llaw. Roedd ganddi hi fuwch yn disgwyl llo. Gwyddeles oedd Lilly o Dhún na Ngall bell a ddaethai i weini i Fodwrdda adeg y Rhyfel Byd Cyntaf a setlo. Gyda'r blynyddoedd, dysgodd lun o Gymraeg chwithig a llwyddo i rentu Poethwal gan Stad Nanhoron. Wedi'i magu ar arfordir Donegal a'i hancesi poced o gaeau caregog, roedd Poethwal, serch ei rostir, yn ffon fara ddigon derbyniol ganddi. Yn ychwanegol at hynny, câi gildwrn gan gleifion o bell ac agos oherwydd bod ganddi eli diffael, 'nôl y rhai a gafodd waredigaeth, at ddrywingod ar ddyn a'i anifail. Safodd ar ganol y buarth i ffroeni'r awyr, fel llwynoges yn synhwyro rhyw ddieithrwch o gwmpas ei ffau. Yna, cerddodd yn frysiog a diflannu i dywyllwch y beudy.

Wedi hongian y lamp stabl ar hoelen, cariodd Lilly O'Malley gowlad o wellt melyn, glân, a'i daenu yn y rhigol y tu ôl i'r fuwch mewn paratoad. Tybiodd iddi glywed lleisiau ond, wedi ailwrando, argyhoeddodd ei hun nad oedd yno ddim peryclach na'r Bobl Fach — y tylwyth teg cymwynasgar hynny y credai hi mor gryf ynddyn nhw ac oedd o gymaint cymorth iddi i droi mawndir Poethwal yn ardd.

O bell, ac o uchder y to, edrychai Sowth Now a'r Person yn ddigon tebyg i dylwyth teg wedi colli'r ffordd. Roedd ffrwyth y poteli y bu'n rhaid iddyn nhw yfed eu cynnwys er mwyn eu gwacáu wedi gwneud y ddau'n gyfeillion agos.

'Jawch ario'd, ma'r jawlied 'di ca'l lla'th mwnci, bois. Fydd hi'n bandimoniwm 'ma 'nawr. Cwatwch, bois.'

Teithiai'r Person a'r Comiwnydd tua'r tyddyn, fraich ym mraich — y Comiwnydd yn canu 'Duw Gadwo'r Brenin' yn Saesneg, a'r Person yn hymian 'The Red Flag' mewn hanner Cymraeg. Wedi llusgo'u ffordd fel eu bod nhw'n llun o weld y lle, sylwodd y ddau ar y Sarjant ar ben y to, ond heb ei 'nabod o.

'Thimerik.'

'Y?'

'Bom, Ficadd?'

'*Not now,* Thowth Now.'

'Cŵl hèd 'nawr, bois. 'Sa' i'n trysto'r ddou hyn, w.'

Nabodwyd y llais. Cofiodd y Parchedig Limerick fel y bu i'r Sarjant Rees waldio'i ben yn frwnt yn erbyn llawr pren Neuadd yr Eglwys ac fel y bu iddo golli botwm o'r herwydd. Ar ben hynny, roedd ffrwyth yr heidden wedi rhoi hyder newydd iddo.

'Napoleon, w.'

'W! Y bom, Ficadd?'

'*Now,* Thowth. *Now . . . Now Now.*'

'Shgwlwch, 'ma, bois, 'wy'n *British,*' o ben y corn.

Tynnodd Sowth Now botel gwrw wag o boced ei gôt a dechreuodd y Person gymell a chyfri.

'A *one . . .* a *two . . .* a . . .'

''Wy'n syrendo w.'

Greddf yn fwy na gwelediad a barodd i Sowth Now lwyddo i hitio'r Sarjant â'r botel gwrw wag ar ganol ei dalcen nes bod hwnnw'n trybowndio o grib y to dros y llysnafedd i'r llawr fel sachaid o datw.

39

Yn ysgytwad yr ergyd rhoddodd buwch drom o lo Lilly O'Malley un gwth ychwanegol a llithrodd llo penwyn, yn gynnes a digon o ryfeddod, i wellt y rhigol a dechrau ymwingo.

"Oly Mary, Mother of God.'

Wedi rhoi sylw dyladwy i'r fuwch, daeth Lilly allan o'r beudy, yn ochelgar, i weld beth oedd achos yr holl ergydio ond, erbyn hynny, roedd yr Hôm Gard ar ei ffordd yn ôl i Neuadd yr Eglwys a John Defi Plas Crwth, druan, yn cario'r Sarjant ar ei gefn am fod pob milwr arall wedi gwrthod.

Wedi codi'r lamp stabl uwch ei hysgwydd a chwilio'r cysgodion, cerddodd Lilly O'Malley yn ôl tua'r tŷ yn ddigon dibryder gan ddiolch i'r Fair Wyryf am y llo a fwriwyd i'r rhigol a blagardio'r gwalch Pooka am greu cymaint o styrbans.

Morris Williams, Llenorfa, unwaith yn rhagor, a ddiogelodd beth o'r hanes ar gyfer yr hil, yn ei golofn wythnosol — 'O Borth Neigwl i Ben y Garn'; yr is-deitl oedd 'Cyrch Llwyddiannus'. Dim ond y paragraff olaf un oedd o ddiddordeb i'r rhan fwyaf o'r plwyfolion:

Dymunir hefyd eich hysbysu y cynhelir Cyngerdd Mawreddog yn Neuadd yr Eglwys ar y degfed o'r cyfisol o dan nawdd y Gwarchodlu Cartref. Fe ein diddorir gan rai o'n doniau lleol mwyaf adnabyddus. Gwneir casgliad gwyn ar y terfyn a rhennir yr elw yn gyfartal cydrhwng Cronfa Anrhegu y Rhingyll D. Rees (sydd yn dychwelyd i Ddehau Cymru) a chostau adnewyddu tŷ gwydr y Parchedig R. Phillips (B) yr hwn a ddinistrwyd yn ddamweiniawl. M.W.

Mary-Rose Bumby

Ar step gul y bỳs bedwar, ym mlynyddoedd tywyll y Rhyfel, y teithiodd Mary-Rose Bumby o Ben-cob, Pwllheli i waelod Allt y Rhiwdar — yn ewingoch, hyderus. Rhyfeddai'r cyd-deithwyr at ei dawn i gadw'i thraed fel roedd Ifan Paraffîn yn ei choedio hi ar hyd gwastadedd tonnog Morfa Penyberth ac yna'n troi trwyn y bỳs yn siarp yng Nglyn-y-weddw cyn dringo drwy Lanbedrog i ben Mynytho. Yn ôl adroddiadau diweddarach, fe sugnodd bum sigarét yn stwmp rhwng Lle Pyrs, ar gyrion y dre, a Phin-Tymawr gan chwythu'r mwg wast allan drwy'i ffroenau a fflicio'r stympiau yn osgeiddig, â'i bys a'i bawd, i'r priffyrdd a'r caeau. Ar ôl ymgynghori â'r Paraffîn ynghylch y ddaearyddiaeth, neidiodd yn gelfydd o'r step i'r ffos cyn i'r bỳs lawn stopio, â'i ches i'w chanlyn. Wedi iddi fethu ag agor giât bren Twll Wenci dringodd drosti, yn ben ôl i gyd, a chychwyn cerdded i lawr y ffordd drol a arweiniai tua'r tyddyn, ond nid cyn i'r gweision ffermydd a eisteddai yng nghefn y bỳs godi'r nymbar ac ystyried sut y gellid trefnu cyfarfyddiad arall â hi, o dan amodau mwy personol. Fel roedd y bỳs yn tuchan ailgychwyn, ac fel pe byddai ganddi lygaid yn ei gwegil, trodd yn ei hôl a chwythu cusan ysgafn oddi ar gledr ei llaw a'i hanfon i'w cyfeiriad. Sobrwyd yr hogiau gan y beiddgarwch. Yna, trodd ar ei sawdl a cherdded mor dindro â heffer gyflo i gyfeiriad ei chartref newydd a'r anwybod mawr.

*   *   *   *

'Enw?'

  'Risiart Pritchard.'

  'Ac enw eich chwaer?'

  'Rachel.'

  'Ie?'

  'Pritchard.'

  'A'ch oed chi, Mistyr . . . m . . . Pritchard?'

  'Fedrwch chi gadw cyfrinach 'ta?'

  'Wel, medra'.'

  ''Finna' 'run modd.'

Sodrodd Miss Whitington-Davies ei phin ysgrifennu ar bren y bwrdd ac edrych i fyw llygaid 'rhen lanc.

  'Mi glywsoch bod 'na ryfel, debyg?'

  'Do.'

  'A bod bwyd yn brin?'

  'Wel, felly maen nhw'n deud ar y weiarles.'

  'A bod dwsin o wyau'n chwecheiniog.'

  'Grôt ma' William John Wya'n 'i roi i mi.'

  'Ac y dylan ni i gyd ddyblu'n diwydrwydd, a throi rhagor o dir i gynhyrchu rhagor o gnydau?'

'Ia.'

Wedi saib ddramatig, i roi cyfle i'r bilsen weithio, ailgydiodd Miss Whitington-Davies yn hamddenol yn y pin ysgrifennu.

''Ddois i ddim yma, Mistyr . . . m . . . Pritchard i chwarae seiat brofiad hefo chi. Mi ofynna' i'r un cwestiwn i chi *un* waith yn rhagor. Eich oed chi, Mistyr Pritchard?'

'Fydda' i'n bump a thrigain, os byw ac iach, Gla'mai nesa'.'

'Ac oed eich chwaer?'

'Ma' Rachel druan ddwy flynadd yn hŷn, ond pythefnos 'te.'

'Wela' i. Diolch i chi, Mistyr Pritchard, am eich cyd-weithrediad. All neb dyn fforddio i wamalu ar adeg o ryfel.'

Galwyn o ddynes mewn jwg peint oedd Amelia Whitington-Davies — cynorthwyydd siriol i'r Fonesig Denman, Cyfar-wyddwraig y Land Army fel y'i gelwid — a bleiddast mewn croen dafad. Gadawodd ei Morris Minor yng ngiât Twll Wenci a cherdded i'r buarth yn bum troedfedd sgwâr mewn costiwm frethyn, â'i botymau ar fyrstio, a phâr o sgidiau brôg brown golau. Daeth yno mewn ateb i nodyn digon tlawd a anfonodd y brawd a'r chwaer at Swyddog Amaeth y sir yn holi am garcharor rhyfel o wersyll Sarn Meillteyrn i roi hand iddyn nhw gyda'r cynhaeaf. Cyn i Risiart Pritchard ollwng handlen y separetor, roedd hi'n eistedd wrth fwrdd y gegin yn llenwi ffurflenni ac yn holi lleng o gwestiynau.

'Ac i ba le mae eich chwaer wedi mynd, Mistyr . . . m . . . Pritchard?'

'I'r Abersoch 'na,' mwmiodd rhwng ei ddannedd, a'i ynganiad o enw'r pentre glan-môr cyfagos yn fynegiant o'i ddiflastod wrth iddo, yn unig feddwl am y lle. Ychwanegodd, 'Twll o le, os buo' 'na un 'rioed.'

'Fydd hi'n cyrchu yno'n aml?'

'Yn rhy amal o beth cynddeiriog, er 'i lles.'

''Wela' i. Ond mae'r Llywodraeth, fel y gwyddoch chi, Mistyr . . . m . . . Pritchard, yn gofyn i ni gyfyngu ar deithio sy'n ddianghenraid. ''A yw eich siwrnai yn gwbl angenrheidiol?''

Dyna'r *motto*, onide?'

'Wel ia, bosib'. Ond coeliwch fi, mi fasa' hi'n haws i chi stopio'r Irish Mail i redag na chadw Rachel 'ma gartra. Ma' hi fel cath wrw am hel tai.'

'Dyna ddigon Mistyr . . . m . . . Pritchard, 'dowch i ni lynu at y pwnc o dan sylw. A pheth arall, ma' gen i gryn feddwl o gathod. 'Nenwedig rhai gyrfod.'

'Sori, Miss Davies.'

'Miss *Whitington*-Davies, Mistyr . . . m . . . Pritchard. Am ba fath o gymorth rydach chi'n apelio Mistyr . . . m . . . Pritchard?'

'Wel, rwbath 'sa'n medru rhoi help llaw i odro ar adag cnaea', ac sy'n abal i garthu, a theneuo rwdins a . . .'

'A chodi tatws Mistyr . . . m . . . Pritchard.'

Yn ddamweiniol, darganfu Risiart Pritchard iddo, yn ei brysurdeb, anghofio cau drws stabl ei drowsus melfaréd ac aeth ati i fotymu'n gyflym gan golli penllinyn y croesholi. Pesychodd Amelia yn fygythiol, a phenderfynodd yr hen lanc y byddai hi'n ddoethach iddo adael y gwaith hwnnw ar ei hanner a gwrando.

'*Tatws* Mistyr . . . m . . . Pritchard.'

'Y?'

'Ydach chi'n gyfarwydd â Thwm Taten, Mistyr . . . m . . . Pritchard?'

'Fedra' i ddim â deud 'mod i. 'Dwi'n 'nabod Twm Cae Haidd . . .'

'Un o hysbysebion y Llywodraeth, Mistyr . . . m . . . Pritchard.'

'O?'

'Bwyd ynni ydi pytatw. 'Dwi'n dyfynnu i chi rŵan: "Rhoddant nerth i chwi gyflawni eich gwaith rhyfel".'

Chwipiodd ddarn o bapur o'r cês ar y bwrdd a'i wthio i law y tyddynnwr.

'Gewch chi ddarllen hwn eto, wrth odro.'

'Be?'

'A thriwch ganolbwyntio ar dyfu pytatw. Sawl acer ddeutsoch

44

chi ydi . . . m . . . Twll Wenci 'ma?'

'Sawl acar ddeudis i? Wel, pymthag ar hugian, 'nôl y gweithredoedd, ond mi fydda' 'Nhad bob amsar yn cyfri bod o'n fwy.'

'Mi awn ni yn ôl y gweithredoedd, Mistyr . . . m . . . Pritchard. Wel, fedrwch chi ddim dibynnu ar eich chwaer i roi'i hysgwydd o dan yr arch? Mae hi'n ddyddiau o argyfwng Mistyr . . . m . . . Pritchard.'

'I odro?'

'Wel ia, a charthu'r beudy.'

'A theneuo rwdins?'

'Dyna ni.'

'Fasa' hi'n haws lawar dysgu'r gath 'ma i ddawnsio step y glocsan.'

'O?'

'Ond 'tydw i wedi deud yn fy llythyr atoch chi ma' coes bren s'gin Rachel 'ma.'

O glywed am y brofedigaeth, lliniarodd ei llais beth a chododd o'i heistedd i ysgwyd llaw yr hen lanc.

'O! Mae'n ddrwg gen i, Mistyr . . . m . . . Pritchard. Sut digwyddodd yr . . . m . . . anffawd?'

'Mi syrthiodd 'na sach dau gant o datws ar 'i chrwpar hi adag Rhyfal Gynta' ac un goes fuo' gin Rachel byth wedyn.'

Aeth Miss Whitington-Davies ati hi'n syth i gofnodi'r anffawd.

'Disability, owing to First World War Wound.'

Cododd ei phen a thaflu cip dros y gegin, a oedd â'i thin am ei phen.

'Mae hi'n abl i gyflawni dyletswyddau gwraig tŷ?' ond gyda sŵn amheuaeth yn nhôn ei llais.

'Yn abl ydi. Ond ddim yn ewyllysgar.'

''Wela' i.'

Taflodd gip dros wasgod 'rhen lanc a oedd yn faw gwartheg byw.

'Mi ellwch chithau, Mistyr . . . m . . . Pritchard, fforddio i olchi'r wasgod 'na. 'Dydi dŵr glân ddim ar rasions. Wel, ddim lle rydw *i* yn byw beth bynnag.'

Wedi cael ychydig o fanylion pellach ynghylch nifer y stoc ac ansawdd y tir, dechreuodd Miss Whitington-Davies gasglu'r cwbl ynghyd a dyfarnu'r un pryd.

'Mae o'n fy nharo i, Mistyr . . . m . . . Pritchard, y medrwn i ganiatáu un o enethod y Land Army i chi, dros dymor yr haf yn unig.'

'Un o betha'r land-armi ddeutsoch chi? Ond chwilio am ddyn ro'n i — nid dynas. 'Dydi Lôn Dywyll a Barrach a Thyddyn Gwyn wedi ca'l Italians o gamp Sarn Meillteyrn 'na, a . . .'

'Hanner munud. Ydach chi, Mistyr . . . m . . . Pritchard yn meiddio sarhau merched, sy'n aberthu manteision a chysuron i ymladd dros ein rhyddid ni?'

'Wel na. Ond . . .'

Cododd Miss Amelia Whitington-Davies ar ei thraed a chodi'i llais 'run pryd.

'Tra mae'n gwŷr ni a'n bechgyn ni yn brwydro ar faes y gad, mae Merched y Fyddin Dir yn ymladd yr un frwydr ar yr Home Front. Ydach chi, Mistyr . . . m . . . Pritchard, yn meiddio bychanu'u cyfraniad nhw?'

'Na, ond 'mod i'n gweld Ifan Jones Barrach wedi ca'l Italian handi,' ebe'r hen lanc yn siomedig, wedi'i yrru i'w grogan.

'Reit, mi rydan ni'n deall ein gilydd felly. Fel roeddwn i'n cychwyn dweud yn gynharach, cyn i mi gael fy atal, fe ganiateir *un* o ferched y Land Army i fod o gynorthwy i chi dros dymor yr haf.'

'Thenciw.'

Cerddodd Miss Whitington-Davies yn wrywaidd-filwrol i gyfeiriad y drws allan a llefaru ar yr un pryd.

'Eich dyletswydd chi, Mistyr . . . m . . . Pritchard, os bydd hi'n anghynefin â gwaith fferm, fydd ei hyfforddi hi'n dyner ac yn amyneddgar. Ydach chi'n deall hynny?'

'Mi 'na i i chi.'

'A tydi hi ddim i gynorthwyo Miss . . . m . . . Pritchard gyda'r gwaith tŷ.'

'Yn hollol.'

'A'ch cyfrifoldeb chi fydd gwarchod ei moesau hi tra bydd hi yn eich gofal.'

'Y?'

Camodd Miss Whitington-Davies dros y rhiniog i'r iard a chau'r drws o'i hôl gyda'r fath rym nes i falarina tseina, a safai'n ungoes ar ben y silff-ben-tân, syrthio ar y ffendar a thorri'n deilchion.

'A gwynt teg ar 'dôl di.'

Lluchiwyd y drws yn agored eilwaith ac ymddangosodd pen Miss Whitington-Davies yn sgwâr y ffrâm.

'O ia, un peth bach arall. Dim *hanky-pankies*. Ydach chi'n deall hynny?'

'Rydw i'n flaenor Methodus ylwch.'

'Dyna oeddwn i'n amau. Bore da!'

★   ★   ★   ★

Roedd Risiart Pritchard yn swatio ym môn clawdd y cae gwair yn hogi'i bladur pan glywodd o wich y moto pedwar yn brecio wrth giât Twll Wenci.

'Ma' hi wedi landio i ti, Monti,' meddai wrth y ci a orweddai ar ei grysbas. 'Gad i ni ga'l gweld debyg i be ydi hi.'

Wedi rhoi'i bladur o'r neilltu a gwthio'r galan hogi i'w boced dringodd i ben y clawdd, a'r ci yn neidio i'w ganlyn o, a rhythu disgwyl. Pan welodd o Mary-Rose Bumby yn ymddangos yn nhrofa'r ffordd drol, yn dawnsio cerdded, gan sboncio dros ambell i bwll dŵr fel sigl-di-gwt, wfftiodd Risiart Pritchard at yr olygfa a throi at y ci.

'Wel i be ar wynab y ddaear, Monti, ma' Churchill isio anfon rhyw bicwarch fel hyn i Dwll Wenci? Isio hand hefo'r carthu 'dw i — nid rhyw ddoli glwt o beth.'

47

Gwthiodd Mary-Rose Bumby sigarét hirfain arall rhwng ei gweflau, yna, oedi ar untroed i danio matsen yn gelfydd ar bedol ei hesgid cyn mygu ac ailgychwyn cerdded.

'Sbïa mewn difri, Monti bach. Ma' hon yn siŵr gythril o roi'r lle 'ma ar dân.'

Disgynnodd yr hen lanc o ben y clawdd ymhell cyn i'r land-armi newydd gyrraedd tuag ato, a mynd ymlaen i ddarfod hogi'r bladur.

'Tell me, pretty boy, is this the back o' beyond where they're expecting me?'

Cododd Risiart Pritchard ei wyneb o'r hogi i weld pen cringoch, â wyneb digon siriol arno, yn rhyfeddu ato drwy frigau'r goeden ddraenen wen.

'I think. Yes. Gorwadd Monti!'

'Is that hound vicious?'

'Pardon?'

'Does the bastard bite?'

'He can bite alright.'

'Thought as much. I hate dogs, luv. Mary-Rose Bumby 'me name.'

'Risiart Pritchard is my name.'

'Come again, luv.'

'E?'

'Tell me yer name again, pretty boy.'

'Risiart . . . Pritchard.'

'Ah! I get it. Please to meet you, Dick.'

Gwthiodd Mary-Rose fraich fain a llaw wen arni drwy'r brigau i gael ysgwyd llaw â'r ffarmwr.

'I am very well, how are you, Mary?'

'I wish I was home, dear.'

'M . . . where is home, Mary?'

'Birmingham way.'

'Far.'

'You're tellin' me.'

'Yes, very far.'

'Work? Before?'

'Ye want to know what I did previously?'

'Yes.'

'Did some rat catching in Shropshire, as a Land-Army, see. One bugger bit me in the bum.'

'Where?'

''Ere,' a rhoi bys ewingoch ar ei chrwper, er mwyn dangos. 'Still tender I can tell ye.'

'O!' yn werinol swil.

'Cor! I hate rats.'

'Work? Before War?'

'Cinema usherette. By the way, Dick, where about is the cinema in this outback?'

'E?'

'Picture 'Ouse! Where's the next one?'

'O! Pwllheli.'

'Pythelly?'

'Yes. Two Pictures in Pwllheli.'

'Pythelly? But that's where I've just come from. It's miles away, luv.'

'Seven, yes?'

'What a back o' beyond.'

'But we have wireless. We have Welsh and English wireless.'

Bellach roedd Mary-Rose Bumby yn awyddus i gael ei chlun i lawr. Wedi un pwl terfynol arall ar sigarét, ffliciodd y stwmpyn i'r ffos a holi, 'Tell me, Dicky boy, where about is yer shack?'

'M . . . pardon?'

'Where's the 'ouse?'

'O! House over there. Through two gates see.'

'Bloomin' 'ell. I'm dyin' for a cup o' tea, Dick.'

'You go to the house. My sister, Rachel, will do you cup of tea.'

'Thanks luv.'

'Don't mention . . . Mary.'

49

Ailgydiodd Mary-Rose Bumby yn ei chês ac ailgychwyn cerdded y ffordd drol hir o'r lôn bost i gegin anniben Twll Wenci.

'See ye then.'

'M . . . yes. Yes, see you.'

Gyda diddordeb ffarmwr a gafodd ychwanegiad at ei stoc, gwyliodd Risiart Pritchard y land-armi'n ymbellhau oddi wrtho nes iddo'i cholli yn nhrofa'r ffordd.

'Peth bach gleniach nag o'n i'n feddwl, Monti. Ond mi fasa'n haws i mi 'i deall hi 'tasa' hi'n ryw lun o Gymraes.'

Wrth dorri'r wanaf gyntaf o wair ogylch y dalar â'r bladur a finiogwyd, ymdrechai Risiart Pritchard i gofio be ar y ddaear fawr oedd 'calan hogi' yn Saesneg.

*   *   *   *

Fe gyrhaeddodd Mary-Rose Bumby i Dwll Wenci yn gath wedi'i phrynu mewn cwd ond fe gymerodd at y gwaith a orfodwyd arni fel cath at lefrith. Mewn byr amser, fe ddaeth hi'n gynefin â mynych alwadau gwahanol gwaith ffarm ac yn llaw ychwanegol hynod o ddefnyddiol i mewn ac allan. Ar y dechrau, ei syniad hi am odro oedd rhoi pwced laeth o dan ben ôl y fuwch ac ysgwyd ei chynffon hi i fyny ac i lawr, fel petai'r fuwch yn bwmp petrol, ond cyn pen deufis roedd Mary-Rose cyn gyflymed godwraig â Risiart Pritchard bob blewyn a byth braidd yn anghofio dicial. Wrth riglo a charthu fe wisgwyd yr ewinedd cochion hyd at y byw ac fe agorwyd rhychau dyfnion, duon yn y dwylo fu unwaith yn glaerwyn. Wedi'i fynych olchi gan law mynydd wrth iddi agor ffosydd a rowndio'r defaid, fe ym-ddangosodd bonion gwynion yn y pen cringoch a chyn pen nemor o amser, roedd y lliw coch wedi'i olchi allan i gyd a Mary-Rose Bumby yn driw i'w hoed. Yng nghorff yr wythnosau pigodd friwsion o Gymraeg, chwithig ac, yn ogystal, rhoes heibio'r smocio. Marchnad anwadal oedd marchnad sigaréts

Meiji Jones y Post — William John, hwsmon Foty Fawr, y carmon, a gâi y blaenffrwyth — a pheth arall, roedd reidio beic dyn am ddwy filltir bob ffordd wedi diwrnod o gario gwair yn ormod llafur, mygyn neu beidio, a buan y darganfu merch y land-armi bod ganddi ragor o wynt at gario sachau blawd wrth iddi lwyr ymatal.

Ond, fel y proffwydodd Risiart Pritchard yng nghlyw Monti'r ci, yn y cae gwair y pnawn y cyrhaeddodd hi yno, fe roddodd Mary-Rose Bumby y lle ar dân — o fwy nag un cyfeiriad.

★   ★   ★   ★

Rowndiodd y par sgidiau brôg y domen dail a'r hyder yn y camu'n eu suddo nhw at eu topiau i'r biswail; fe'u dilynwyd gan un hen welington wedi'i phatsio a choes bren.

'Trowch i'r dde, Miss Whitington-Davies, wrth gongl yr hoewal a'i 'nioni hi wedyn ar draws y gadlas ac am y tŷ gwair.'

Safodd Miss Whitington-Davies, am eiliad, a'i fferau'n cyflym suddo i'r llwtra.

'Miss . . . m . . . Pritchard, oes gynnoch chi y maint angenrheidiol o flacowt ar eich llusern? Mi wyddoch am y peryglon.'

'Twt lol, welith 'run Jyrman ola' lamp stabal o'r awyr. A pheth arall, ma' 'na gymaint o we pry cop ar wydr hon fel ma' prin y gwelwch chi a finna'r fflam.'

'Wel, fel pennaeth y Land Army ma' hi'n ddyletswydd arna' i i'ch rhag-rybuddio chi.'

''Mlaen â ni rŵan,' hysiodd Rachel yn frwdfrydig, 'cyn iddyn' nhw ddengid. A gwyliwch, bendith y taid i chi, 'cofn i chi fynd â'ch pegla' i fyny i'r tail.'

Cododd Rachel Pritchard y lamp stabl i uchder ei hysgwydd er mwyn i Miss Whitington-Davies weld y llwybr soeglyd oedd o'u blaen.

'Diolch i chi, Miss . . . m . . . Pritchard.'

Byddai hi'n anodd i'r un dewin ddweud pryd a sut y cychwynnodd gwres yng nghalon hen lanc Twll Wenci tuag at ei land-armi — ond, wrth gicio a brathu mae cariad yn magu. Dros nos, megis, daeth i wisgo gwell gwasgod. Ar y llaw arall, roedd 'na dân oer gwastadol yng nghalon Mary-Rose Bumby at unrhyw ddyn, a hwnnw'n un y gellid ei gynnau'n fflam braf unrhyw amser. Wrth gyd-deneuo rwdins a chyd-hel cerrig o'r caeau, wrth gyd-farbio cloddiau a chyd-fydylu gwair, fe feginwyd y fflam yng nghalon Risiart Pritchard nes ei bod hi'n goelcerth ulw. Ac i weld y tân hwnnw ar waith, a cheisio'i ddiffodd, y galwyd Miss Whitington-Davies o Bwllheli i Dwll Wenci berfedd nos. Daeth yn dro i Rachel sefyll.

'Ac mi rydach chi'n deud, Miss Whitington-Davies, na ddyla' land-armi ddim stwna hefo gwaith tŷ.'

'Ydw, Miss . . . m . . . Pritchard. Yn bendant.'

'Wel ma'r grybiban 'dach chi wedi'i gyrru yma wedi llnau Twll Wenci o'r top i'r gwaelod, a hynny heb 'y nghaniatâd i.'

'Felly.'

'Ma'r lle 'di mynd yn sglyfaethus o lân ac yn drewi o ogla carbolig.'

'Wel, fuo' yna erioed ddrwg nad oedd o'n dda i rywun,' ebe Amelia'n ffwrbwt.

Ailgychwynnodd y ddwy, fel befar a chadi, yn dawelach eu sgwrs ac yn eu cwman.

'Hanner munud.'

Cythrodd Rachel i lawes costiwm frethyn Miss Whitington-Davies a'i chymell hi i wrando.

'Glywch chi rwbath?'

Cododd Miss Whitington-Davies ei ffroenau a synhwyro'r awyr yn ofalus, fel bleiddast ar eira.

'Clywaf.'

'Ia?'

'Ogla baw lloeau ffres?'

'Na na, hefo'ch clustia' 'dwi'n feddwl.'

'O! Mae'n ddrwg gen i, Miss . . . m . . . Pritchard.'

Plygodd ei phen i wrando, fel cath wrth dwll bronwen y tro hwn.

'Wel, glywch chi rwbath?' holodd Rachel, yn groen gŵydd i gyd yn ei hawydd i fynd ymlaen â'r genhadaeth.

''Dach chi'n cadw c'lomennod, Miss . . . m . . . Pritchard?'

'Gori allan ma'r cnafon.'

'Y c'lomennod felly?'

'Na na, cyfeirio rydw i at y land-armi, a'r ceiliog dandi sy wedi cymryd 'i ffansi hi.'

'Felly!'

'Yn y gowlas wair ma' 'u nyth nhw, yn saff i chi.'

'Mlaen â ni, Miss . . . m . . . Pritchard.'

'Ia, i ni ga'l trio'u dal nhw cyn iddyn nhw godi ar 'u hadan.'

* * * *

'Dick, me luv, give us another kiss.'

Ond roedd Risiart Pritchard yn chwilio poced ei grysbas am y dannedd gosod a dynnwyd ar gyfer y gwaith.

'What's botherin' ye, luv?'

'Have you theen my teeth?'

'Pardon?'

'Are you thitting on my teeth, Roth-Mary?'

Tynnodd Rose-Mary Bumby ei bysedd hirion drwy'r bargod prin o wallt oedd ar wegil 'rhen lanc a dweud yn fyngus, *'Don't fret, me pretty one. Ye look much better without them . . . Give us another kiss, me flower.'*

'Bugger you! No. I want my teeth.'

A dechreuodd Risiart Pritchard chwilio'n gandryll wyllt am ei eiddo yng ngwellt y das wair.

'Dick, me sweetie-pie, will ye not marry me?'

Cyn i'r hen lanc gael cyfle i ateb cwestiwn mor dyngedfennol, clywyd lleisiau o'r llawr islaw a thaflwyd gwawl egwan lamp stabl i'w cyfeiriad nhw.

'Fan'cw ma'r cnafon,' sibrydodd Rachel.

'Yn difetha ansawdd gwair da a hithau'n adeg o ryfel,' ychwanegodd Amelia.

'Yn hollol, ac yn swsian ar ben hynny.'

Llithrodd Mary-Rose yn sbringar dros dalcen y gowlas, yn ddim ond cysgod, gan ddisgyn i'r llawr yr ochr arall, mor dendar â chath ifanc, a'i heglu hi am Birmingham.

Rhoddodd Miss Whitington-Davies gic comando i'r ystol a arweiniai o'r llawr i ben y das a charcharu Risiart Pritchard yn ei warth.

'A'r fan yma rydach chi, Mistyr . . . m . . . Pritchard?'

'Ia . . . y . . . naci,' atebodd 'rhen lanc wedi mynd i'r pot yn lân.

'A sbïwch ma' 'i wasgod newydd o yn llydan 'gorad,' ebe Rachel gan bwyntio bys crwca, ond bygythiol, i'w gyfeiriad.

'Ddo' i 'lawr rŵan tatha chi'n codi'r ythtol i mi.'

''Tydi'r tincwd 'di tynnu'i ddannedd gosod, ylwch,' ebe Rachel wedyn.

'Fedra' i gael gair gyda Miss Mary-Rose Bumby os ydi hi'n bresennol?' holodd Miss Amelia Whitington-Davies, gan annerch y das wair.

'Wedi bod yn llyfu'r heffar 'na mae o, Miss Whitington-Davies, ac wedi tynnu'i ddannadd gosod at yr achlysur. Sglyfath!'

'Miss . . . m . . . Pritchard, 'newch chi ymdawelu a cheisio ffrwyno eich teimladau.'

'Fatha'n hawth atal llanw Porth Neigwl na cha'l Rachel i gau'i hopran.'

'Y mochyn i ti.'

Aeth Rachel ati i geisio ailgodi'r ystol er mwyn iddi gael mynd i ben y das, serch ei choes bren, a chwffio.

'Ymbwyllwch Miss . . . m . . . Pritchard. Ymbwyllwch.'

'Nôl trenglan o wair i'r fuwch ro'n i, wrth bod hi'n thâl.'

'Mae o'n fater y bydd hi'n ofynnol i'r Swyddfa Amaeth, os nad y Swyddfa Ryfel, i'w ystyried o. Dowch Miss . . . m . . .

Pritchard, mi awn ni yn ôl i'r tŷ.'

Trodd y 'sgidiau brôg yn sgwâr ar eu sodlau a chychwyn i gyfeiriad y gadlas.

Fel gwraig Lot gynt oedodd Rachel, ennyd, a thaflu un cip bygythiol i gyfeiriad pen y das ac erfyn.

'Ga'i ganiatâd, Miss Whitington-Davies, i roi'r gowlas wair 'ma ar dân?'

'Na, gadwch o lle mae o, i oeri.'

Cychwynnodd y welington a'r goes bren gerdded yn gloff-drwm i'r un cyfeiriad.

Fel roedd y ddwy chwaer yn ailrowndio'r domen dail, ar eu ffordd yn ôl i'r tŷ, clywai darn o wlad lais 'rhen lanc yn gweiddi'n ddeisyfgar o garchar y das ŷd.

'Rachel! . . . Yr ythtol.'

★   ★   ★   ★

Y glangaeaf canlynol, a hithau'n ddiwrnod dyrnu yn Nhwll Wenci, y daeth dannedd gosod Risiart Pritchard i'r fei, yn shwrwd mân ac yn gymysg â'r peiswyn. Bu cryn dynnu coes o du cymdogion yn ystod yr awr ginio, a chegin Twll Wenci yn ôl yn ei chynefin flerwch. Gwas bach Trefollwyn gwelodd nhw wrth iddo fo glirio'r domen us o dan fol y dyrnwr a fo a wthiodd y cwch i'r dŵr.

'Sut colloch chi'r llestri'n y lle cynta', Risiart Pritchard?'

Roedd pobl y goets fawr wedi cael ryw grap ar yr hanes yn flaenorol ond roedd y darnau dannedd yn y peiswyn yn brawf bod y stori, a fu'n fêl ar dafodau'r fro, yn fwy na ffiloreg. Mentrodd gŵr Nant-y-pwdin hwylio'n nes eto at y gwynt.

''Faswn i'n taeru bod 'na ryw betha' wedi bod yn gorweddian ac yn ymdreiglo ar ben y das ŷd 'na. Roedd rhai o'r sguba' ucha' mor fflat â chrempoga' ac mi roedd hi'n anodd gebyst 'u ca'l nhw i mewn i hopran y dyrnwr.'

Fodd bynnag, tua thri o'r gloch 'run pnawn, a'r dyrnwr newydd dewi, fe ddaeth yna horwth o ddyn i fuarth Twll Wenci, fel o unman, â'i grys yn llydan agored hyd ei fogail, serch y niwl gwyn, oer a oedd yn prysur orchuddio'r fro, a'i freichiau cyhyrog, noethion yn un plaster o datŵ. Cyfarthodd yn sarrug ar ddau neu dri o'r rhai agosaf ato.

'*Tell me, is there a fellow called Dick anywhere 'bout?*'

'*Dick?*' holodd Ifan Tomos Barrach Ganol a'i aeliau'n codi mewn syndod.

'*What Dick?*' gofynnodd gŵr Nant-y-pwdin gan ddal ati i glirio'r peiswyn o dan fol y dyrnwr.

'*The bugger who messed up me wife. Or so she tells me. I'm goin' to skin the skunk . . . Alive.*'

Fel yr ieir a grafai ar y pryd yn y sbar ŷd ar fuarth Twll Wenci, roedd trigolion y fro, hwythau, yn ddigon parod i bigo'i gilydd ond yn cau yn eu rhengoedd yn syth pan synhwyrent fod deryn diarth wedi cyrraedd i'w plith a bod 'na un ohonynt mewn perygl.

'*Tell me, where the 'ell is this Romeo?*' holodd y dieithryn drachefn, yn fygythiol.

'O! Risiart Pritchard *you mean?*' ebe Huw Williams, Bryniau Rhedyn yn siriol. Am eiliad, tybiodd y criw dyrnu bod Huw Williams am werthu'i gymydog i Sais.

'*Ay, sumthin' like that. But she calls him Dicky.*'

'*Very sad,*' meddai'r hen ŵr wedyn.

'*Eh?*'

'*Pity indeed.*'

Pwyntiodd â'i fys i'r fan lle tybiai y dyliai'r nefoedd fod.

'Risiart Pritchard *gone to his prize. Yes, very sad indeed.*'

Sylweddolodd y criw dyrnu i ble roedd Huw Williams yn ei chyfeirio hi a neidiodd amryw i'r un drol.

'*Cum again.*'

'*Passed away.*'

'*Recently you know.*'

'*Big loss.*'

'*Ye mean he's kicked the bloody bucket?*'

'*Yes. Gone upstairs,*' atebodd Ifan Ifans Paraffîn, a ofalai am y tractor, mor derfynol â chrwner wedi cwest.

Tynnodd un o'r cwmni 'i gap stabl a'i roi o dan ei gesail i yrru'r neges ymhellach.

'*Good riddance I say. Otherwise I'd have strangled the bastard with me bare hands. Good-day to ye.*'

Diflannodd y gŵr diarth yn ôl i'r niwl mor sydyn ag yr ymddangosodd.

A hen lanc sad fu Risiart Pritchard, Twll Wenci, weddill ei ddyddiau, yn blaenori gyda'r Achos yn Soar ac yn tawel ffarmio'i dyddyn. Ond, o hynny ymlaen, fe ofalodd Miss Whitington-Davies a'r Weinyddiaeth Amddiffyn mai Jyrman gwrw o wersyll Sarn Meillteyrn a anfonwyd i'w gynorthwyo o hynny i ddiwedd y Rhyfel.

Y Beic-ambiwlans

'Ym Mhorth Neigwl y bydd o'n landio,' eglurodd y Cadeirydd yn bwysigfawr.

'Felly,' ebychodd hen ŵr Pant-y-pistyll yn gegrwth, hygoelus.

Aeth y Cadeirydd ymlaen i roi rhagor o fanylion.

'Ia. Yna, ffagio'i ffor' i fyny glanna' Afon Soch 'ma i gyfeiriad y pentra a gasio pob copa walltog welith o heb 'i gas-masg.'

'Wel, fasa' dim gwell iddo fo drio'i 'nunioni hi am Borth Ceiriad ne' Bistyll Cim?' awgrymodd Ismael, Porth-yr-hwch a oedd yn ddaliwr cimychiaid yn ogystal â thyddynnwr, ac felly yn gynefin â'r glannau. 'Lle peryglus gynddeiriog i ddŵad i'r lan ydi Porth Neigwl. 'Do's 'no ryw nawfad ton. Fydda' 'Nhad druan, pan o'dd o, yn sôn llawar fel yr aeth y *Twelve Apostles* honno'n grybibion ar y creigia' wrth Drwyn Cilan.'

Fyddai 'run o'r trigolion yn mentro prynu hwyaden, hyd yn oed, o law Ismael rhag ofn iddi fethu â nofio ond roedd o'n un o'r rhai caredicaf ei galon a bob amser yn barod â'i gyngor.

'*Heil Hitler!*' cyfarthodd Gwilym Cwningod a thorri ar yr awyrgylch.

Roedd Gwilym, oherwydd mileindra'r Sarjant Rees yn rhengoedd yr Hôm Gard, wedi troi'n Natsi penboeth gan fynnu galw'i hun yn Wilhelm Kaninchen a phupro'i sgwrs ag ambell air llanw hanner Almaenaidd.

'Ond gwsmeriad annwyl, ac eraill,' apeliodd y Cadeirydd drachefn, 'ein dyletswydd Gristnogol ni ydi difa'n gelynion, nid 'u caru a'u cynorthwyo nhw. F-fedrwn ni ddim fforddio i fod yn feddal ag infesion wrth y drws.'

Camgymeriad mwyaf y Rhyfel — ar wahân i gyfarfyddiad Chamberlain â Hitler a Mussolini ym Munich — oedd penodi Stifyn Stifyns Siop-y-Post, pansan o ddyn, yn Gadeirydd Pwyllgor Amddiffyn Glannau Afon Soch a'r Cyffiniau. Cymerodd at y gwaith fel hwyaden at ddŵr. Baich y cyfrifoldeb newydd a barodd i Stifyns, yn nechrau haf 1940, alw trigolion dau blwy i festri Piahiroth, Capel y Bedyddwyr, i egluro pryd a pha fodd y cyrhaeddai'r Fuhrer â'i S.S. Benrhyn Llŷn. Teimlad Stifyns oedd y byddai'r Fyddin Almaenig yn difa pawb yn y ddau blwy, ac eithrio'r sawl a wisgai'i gas-masg a'r rhai a oedd yn prynu yn Siop-y-Post.

'Gwsmeriad annwyl, a'r gweddill ohonoch chi, ga'i apelio atoch chi i gau y rhengoedd. 'Dowch inni addoli'n yr un lle — yn 'Reglws felly — torri'n gwalltia' hefo'r un barbar ac, yn naturiol, prynu'n holl angenrheidia yn yr un siop.'

Cododd storm o wrthwynebiad o du'r gynulleidfa — amryw yn gwsmeriaid a dwyllwyd — a hynny ar ffurf bwledi geiriol, pellgyrhaeddol.

'Ydi o'n wir, Stifyns, 'ych bod chi, a Meiji Jên 'ych chwaer, wedi mynd i hollti pob matsian yn ddwy?'

'Wel . . . m . . .'

'A'ch bod chi'n gwerthu'r haneri sy dros ben mewn bocsys plaen? Am yr un bris?'

'Clywch clywch!'

'Heil Hitler!' oddi wrth Gwilym Cwningod.

'Gyfeillion a chwsmeriad, ma'r Swyddfa Ryfal, fel y gwyddoch chi, yn ein cymell ni i gynilo ymhob dull a modd posib'. 'Nôl y wybodaeth ddiweddara', ma' hannar matsian yn ddigonol i danio pum stwmp wdbein yn olynol.'

Y gwir oedd y byddai Stifyns Siop-y-Post, pe medrai, yn hapus i botelu dagrau'i hen fam weddw a'u gwerthu nhw wedyn fel sent ogla' da i bobl ddiarth. Aeth ymlaen â'i anerchiad.

'Gyda llaw, ma' acw dunia' pys mewn grefi, ddim gwaeth na newydd, y medrwn i 'u gwerthu nhw i 'nghwsmeriad arferol am wyth a dima'r tun.'

Cododd hwsmon Neigwl Ganol ar ei draed i brotestio.

'Ylwch, Stifyns, ma' 'na rai ohonon ni sy'n gorfod codi'n fora i odro. Dŵad yma 'nes i i ddysgu rwbath am yr Hitlar 'na, nid i wrando arnoch chi'n berwi am ryw slwdj pys wedi'i foddi mewn grefi.'

'Achtung! Achtung!' eiliodd y Cwningwr.

'Gwsmeriad annwyl, ac eraill, yr hyn sy'n bwysig ydi ein bod ni'n ymwybodol o'r peryg' sy ar ein goddiweddyd ni, a'n bod ni'n barod i amddiffyn glanna' Afon Soch.'

Dyn styrnig oedd gŵr Beudy'r Gors. O weld y siopwr yn hidlo gwybed, heb sôn am wastraffu oriau prin, neidiodd ar ei draed ar lawr cerrig y festri nes bod gwadnau'i 'sgidiau hoelion mawr yn gwreichioni yn yr hanner gwyll.

'Stifyns, fedrwch chi ddŵad a'r llong i ryw lun o dir? Ne', ma' gin i fon y bydd yr Hitlar 'ma wedi cyrradd Beudy'r Gors 'cw cyn i mi landio adra'.'

'I drio atab 'ych ymholiad chi, William Huws ... O, gyda llaw, ma'r powdr llith llo hwnnw ddaru chi ordro gin i wedi cyrra'dd pnawn 'ma, hefo'r bŷs ddau. Deuswllt y tun ydi o, gyda llaw, rhag ofn bod 'na eraill yma â diddordab.'

Cododd chwa o guro traed o gyfeiriad yr haid gweision ffermydd a glwydai ar eu penolau ar gefnau'r seddau cefn.

'Fel ro'n i'n ceisio egluro i chi, William Huws, cyn yr

ymyrraeth ddiweddara', y sein cynta' i bawb ohonon ni bod Hitlar wedi landio fydd clywad Mistar Limerick yn canu cloch yr eglwys yn y modd mwya' cynddeiriog.'

Roedd y Person eisoes wedi mynd i gysgu, â'i ên yn drwm ar fotymau'i wasgod; deffrôdd o glywed galw'i enw.

'Ond, Stifyns,' holodd gwas bach Deuglawdd yn fwy dyn na'i seis, 'be 'tasa' Mistar Limerick wedi digwydd galw yn y New Inn ar y pryd.'

Fe'i hategwyd gan amryw.

'Ia, ne' yng Nglyn-y-weddw.'

'Ne' ym Mhen-y-bont ne' Sarn Fawr.'

Deffrôdd Limerick drwyddo o glywed rhestru rhai o'i hoff ffynhonnau, ond fel darllenydd lleyg yn yr Eglwys Esgobol anwybyddodd Stifyns yr ymholiad a gyrru 'mlaen â'r cyfarwyddo.

'Y cam cynta', wedyn, fydd cuddio'ch beics. Eu rhoi nhw yn y das wair, deudwch.'

'Diaist i, Stifyns,' holodd Huw Williams, Bryniau Rhedyn yn siriol, 'be 'tasa' gin rywun gar? Lle basa' rhywun yn cuddio peth felly? Ma' gin hogyn hyna' Lisi 'n chwaer gar.'

'Mi ddaw Ifan Ifans 'ma — Ifan Paraffîn fel y byddwn ni'n arfar â chyfeirio ato fo — heibio i roi tywod yn y tanc petrol a g'neud injian 'ych car chi'n ddiwerth.'

'G'naf yn duwch, â phlesar,' meddai'r Paraffîn yn frwd i'r gwaith.

'Dyna'r ordors ma' Mistar Winston Churchill wedi'u rhoi i mi, Huw Willias.'

'Diolch i chi, Stifyns,' ebe'r hen ŵr yn foesgar.

'Wedyn, mi fydd gofyn i bawb, *pawb* 'dwi'n 'i ddeud, 'i heglu hi am y Festri 'ma, cyn gyntad ag y medar 'i begla' 'i gario fo, inni ga'l gwisgo'n gas-masgia' a baricedio'r drysa' a bellu. Gyda llaw, 'tasa' un ohonoch chi'n digwydd dŵad wynab yn wynab â Hitlar fel 'dach chi'n tuthio am y pentra, wel, dangoswch 'ych llyfr rasions iddo fo.'

'Llyfr rasions?' holodd amryw, yn methu â gwneud na rhych na gwellt o'r cyngor.

Oedodd Stifyns eiliad, a gwthio'i ddwy fawd i ddau dwll llawes ei wasgod, cyn ffrothio'r ateb allan.

''Dach chi'n gweld, pan welith meinabs fy enw *i*, Cadeirydd y Pwyllgor Amddiffyn, ar y llyfr mi geith lond trowsus o ofn a'i heglu hi, mwy na thebyg . . . Dyna pam ma' hi'n bwysig i chi brynu'ch tipyn petha' yn y siop acw.'

'Ma' gin i un ymholiad, Stifyns,' ebe gŵr Tyddyn Priciau, 'cyn 'i bod hi'n mynd yn berfeddion o hwyr.'

'Ia, Albyrt Owan?'

'Wel, ma' lle fel Tyddyn Pricia' 'cw filltiroedd o'r lôn bost, sut gythra'l clywn ni Limerick yn canu'r gloch, 'nenwedig os bydd y gwynt yn 'i erbyn o?'

'Wel . . . m . . . gewch chi a'ch tebyg air gynnon ni drwy'r Post.'

'Thenciw, Stifyns . . . Y?' a sylweddolodd Albyrt ei fod o'n prysur brynu cath mewn cwd.

'Ond ma' Mam wedi cloi fel baw c'loman gin gricmala, sut gebyst y medrwn ni 'i cha'l hi lawr o'r groglofft i'r gegin, heb sôn am 'i lygio hi yr holl ffor' i'r pentra wedyn? A chym'yd y bydd Jeri'r Posman yn dŵad â'r negas inni mewn pryd.'

Gan iddo gael ei ddal mewn deufor gyfarfod penderfynodd Stifyns rwyfo cwch gwahanol. Wedi'r cwbl, roedd hen wraig Tyddyn Priciau yn un o'r rhai caredicaf a wisgodd esgid ac, yn bwysicach na hynny, yn un o gwsmeriaid mwyaf cefnogol Siop-y-Post.

''Dydw i ddim yn hollol siŵr pa arweiniad ma'r Swyddfa Ryfal yn 'i roi i ni ar y pen yna. M . . . mi 'drycha i y cofnodion rŵan.'

Tynnodd amlen, feichiog yr olwg, o boced ei gesail ac yna rhwygo allan ei chynnwys. Ffuretodd ei ffordd drwy'r baich papurau a hanner darllen.

'Fe ymddengys i mi bod y matar 'di bod o dan yr ordd yn y

Pwyllgor Sirol a Chenedlaethol . . . a'r awgrym ydi bod pob pwyllgor lleol yn g'neud 'i drefniada' 'i hun . . . Maen nhw'n awgrymu na ddylan ni ddim gor-bryderu, pan ddaw'r infesion, am bobol ar 'u ffyn bagla' a bellu . . . Ca'l yr iach i ddiogelwch fydd y ddyletswydd gynta' . . .'

Ond i fab Tyddyn Priciau, roedd gwaed yn bwysicach na rhesymiad.

'Ond diawl, fedrwn ni mo'i gada'l hi'n y fan honno, ar 'i baw, i drengi, a ninna'n y Festri 'ma'n enjoio'n hunan.'

'Donner und bletzan!' o du'r Cwningwr, drachefn.

'Cynnig, Mistar Cadeirydd,' ebe Meiji Jên, mewn ymdrech i warchod enw da'i brawd, ''ych bod chi'n anfon nodyn at Mistyr Winston Churchill yn gofyn fasa' fo'n ystyriad Mrs. Owen fel achos arbennig, a hynny oherwydd 'i chyfraniad hi i'r Capal Batus. Wel, ag i'r fro'n gyffredinol.'

O weld y ddau mor glòs â chwlwm coed, cynhesodd teimladau'r brodorion at hen wraig Tyddyn Priciau a'i hargyfwng ac oeri at Stifyns a'i Bwyllgor Amddiffyn. Mynegodd aml un ei wrthryfel.

'Prynu'n petha' yn Lloyd Beehive 'sa' ora' i ni. 'Sna chawn ni'n bodloni'n y matar.'

'A'r gweddill yn Siop Star 'te.'

'Ne' gin Huw Huws Cig Moch.'

'A gofyn i William John 'u danfon nhw hefo'r lori.'

'Ia. Mynd â'n cwsmeria'th i'r dre, dyna 'nawn ni.'

O weld yr 'hwch' yn dynesu at ei siop, newidiodd Stifyns ei diwn. Tystiodd mai cael 'Musus Owan a'i thebyg' i seintwar y Festri oedd dyletswydd gyntaf y Pwyllgor Amddiffyn Lleol.

'Ylwch, mi wna' i ymholiada' ar fyrdar be sy'n bosib' 'i 'neud ac mi gewch wybod gin i o hyn i'r cyfarfod nesa' . . . Rŵan, wsnos i heno mi fydd Miss L. Winter-Bottom, Eider Down, Abersoch, yma . . .'

Dechreuodd y seddau cefn besychu a chrafu'u cyrngyddfau'n awgrymog, ddrygionllyd. 'Doedd Miss Winter-Bottom a'r

Siopwr yn gariadon canol oed, hyd braich; y ddau'n selog yn Eglwys Llangïan ac yn esgyrn cefn Cymdeithas y Ceidwadwyr ym Mhen Llŷn. Cododd Stifyns ei law i gael gosteg.

'Mi fydd Miss Winter-Bottom yma ar ran y W.R.V.S. i drafod cyhoeddiad diweddara' y Weinyddiaeth Fwyd, y *Potato Pete's Recipe Book,* ac i ddangos i chi sut ma' g'neud tronsia' a blwmars allan o hen gyrtenni les. Felly, os nag oes 'na gwestiwn arall . . .'

Ond roedd y gynulleidfa flinedig eisoes ar ei thraed a'r rhai ieuengaf wedi'i phlannu hi. O'r herwydd, ychydig ffyddloniaid yn unig a glywodd Gadeirydd Pwyllgor Amddiffyn Glannau Afon Soch a'r Cyffiniau yn hysbysu bod yn 'Siop-y-Post stoc dda o Fry's Cocoa a thunia' o sardîns ddim gwaeth na newydd.'

*   *   *   *

'Benji, gwesyn, 'nei di handio llond dwrn o'r hoelion tri chwartar 'na i Mistar Ifan Ifans? Mi 'neith dyrna'd o rai wedi rhydu'r tro. Mi gei ditha', wrth dy fod ti'n mynd yn hogyn mawr, handlo'r mwrthwl.'

'Reit, Giaffar.'

'Mi a' inna i'r cwt allan i chwilio am bwt o gortyn i' clymu nhw wrth 'i gilydd.'

Consgriptiwyd y prentis i ddod i'r gweithdy wedi oriau hirion gwaith i ddal y gannwyll, yn llythrennol, i'r Saer a'i gyfaill ac i estyn hyn a'r llall iddyn nhw, hwi-rhed.

'Triwch chitha', Ifan Ifans, ddal yr hoelan yn go syth rŵan fel bydd Benjamin 'ma'n ergydio.'

Ciliodd y Saer, yn ddedwydd ei feddwl, i'r cwt allan.

*   *   *   *

Yn ystod yr wythnos ymddangosodd hysbyseb mewn pensel blwm, ar ddarn o bapur menyn, yn ffenestr fechan Siop-y-Post a bu cryn graffu arni. Oherwydd fod ganddo olwg byr, yn ogystal â diofalrwydd yr hen wraig ei fam yn esgeuluso'i anfon i Ysgol Sul y Capal Batus, bu'n rhaid i Ifan Paraffîn graffu mwy na'r gweddill.

'*Cystadleuaeth Nodedig.*'

'Naci,' cywirodd Ellis Lloyd y Saer a ddigwyddai fod yno 'run pryd.

'Y?'

'*Cystadleuaeth Noddedig.*'

'O ia. *Cystadleuaeth Noddedig.*'

'Ia, darllan 'mlaen.'

'*Dyfeisio dyfais at gludo gwehilion y gymdeithas . . .*'

'Naci.'

'Y?'

'Gwaelion! *Gwaelion y gymdeithas.*'

'O, wela' i . . . *Gwaelion y Gymdeithas i Festri Piahiroth (B) yn ystod yr Invasion.* Dew, fedra' i ddim darllan y rest er bod gin i sbectols. Sgwennu sâl gin Stifyns 'te?'

Darllenodd y Saer weddill y neges.

'*Gwobrau: Un Thomas Wallis Shelter Suit . . .*'

'Pwy 'di'r Thomas Wallis 'ma, pan fydd o adra?'

Anwybyddodd Ellis Lloyd y cwestiwn.

'. . . *Seis 34, mewn gwlân neu un botel o Phosferine Tonic Wine yn unig . . .*'

'M!'

'. . . *Rhoddedig gan Miss L. Winter-Bottom, Eider Down, Abersoch. S. Stevens, Ysw., Cadeirydd y Pwyllgor Amddiffyn . . .*'

'Wel, ma' . . .'

''Rhoswch ma' 'na ryw rwdj mewn print mân . . . *O.N. Ymdrechion i law erbyn y cyfarfod nesaf o'r Pwyllgor, yn ddiffael. S. Stevens – Beirniad.*'

Bu trwynau Ifan Paraffîn ac Ellis Lloyd y Saer yn pwyso'n erbyn gwydr ffenestr Siop-y-Post am hir amser ac wedi pwyll penderfynodd y ddau roi 'u pennau ynghyd a chystadlu. Parch i deulu Tyddyn Priciau a ysgogodd Ellis i'r gwaith — bu yno sawl

65

tro yn rhoi ffyn newydd yn yr ystol neu'n trwsio'r meinjar yn y cwt lloeau — ond parch i ryfel oedd unig symbyliad Ifan Paraffîn.

*   *   *   *

'Aw! Y tintac cythral i ti.'

Rhuthrodd Ellis Lloyd allan o'r cwt allan ac yn ôl i'r gweithdy, i weld y Paraffîn yn dawnsio amgylch-ogylch mainc y saer gan fagu'i fawd yn ei afl, cyn rhuthro i wddf y prentis a dechrau'i lindagu.

'Ara deg, Ifan Ifans, ne' mi fygwch y peth bach yn gorn.'

'Dyna 'dwi'n drio'i 'neud 'te. Y trychfilyn bach anghynnas.'

A lluchiwyd Benji gerfydd ffrynt ei grys i'r domen llwch lli.

'Ifan Paraffîn yn dreifio ar 'i din,' llafarganodd y bychan, serch ei godwm.

'Wel, yr arab digwilydd. Mi . . .'

Bu'n rhaid i'r Saer gydio fel feis yn llawes crysbas Ifan Paraffîn rhag iddo fo lofruddio Benji am yr eildro o fewn pum munud.

'Cym'wch fawr ofal, Ifan Ifans, 'cofn i chi'i ladd o.'

''Sa dim fasa'n well gin i ar y funud. Mi 'neith y cronji bach well bwtsiar na joinar. Ŵyr y sglyfath mo'r gwahaniaeth rhwng pen bawd rhywun a phen hoelan.'

Cododd Benji o'r domen tan boeri'r llwch lli o'i geg a phrepian 'run pryd.

'Ifan Paraffîn ddaliodd yr hoelan yn gam, wrth bod gynno fo sbectol gwaelod-pot-jam . . .'

Rhuthrodd Ellis Lloyd i ysgwydd crys y prentis i'w atal rhag llefaru a'i achub rhag gwaeth.

'Hei, atal dy dafod, cwb. A dysga roi'i enw priodol i Ifan Paraffîn.' Trodd at ei gymydog a rhoi siars debyg iddo yntau. 'A chitha', Ifan Ifans, triwch ddal'ch dŵr yn well 'cofn bydd gynnon ni waed ar 'n dwylo, wir ddyn.'

O fwriad yr anelodd Benji at ben bawd Ifan Paraffîn yn

66

hytrach na'r hoelen, a'i daro. Roedd o'n ddrwg ei hwyl am fod y ddau mewn oed wedi dwyn ei syniad o, ac yn gandryll oherwydd yr orfodaeth i weithio ac yntau wedi addo tywysu ail ferch Phillips y Gweinidog i'r priffyrdd a'r caeau.

'Rŵan Benji, 'ngwas i, dal di ola'r gannwyll ar y darn papur 'na, mi handla' inna'r mwrthwl 'ma er lles pawb ohonom ni.'

'Reit, Giaffar,' wedi'i iacháu drwyddo.

'Ac os byddi di'n hogyn go lew, mi gei di fynd adra'n gynnar i ti ga'l mynd dros dy faes llafur at Sul.'

'Thenciw, Ellis Lloyd,' gan feddwl am faes arall, gwahanol a mwy diddorol.

Yn rhifyn y Dolig o'r comic *Monster* y gwelodd Benji gyfarwyddiadau ar sut i lunio'r hyn a elwid *The Bicycle Ambulance*, i gludo clwyfedigion i'r ysbyty wedi cyrch o'r awyr. Roedd y ddyfais yn un eithaf seml a'r unig angenrheidiau oedd dau feic o'r un seis, matres a ffrâm gwely, dwy ystyllen fer, ychydig hoelion a phwt o gortyn. Y gamp, yn ôl y comic, oedd rhwymo'r gwely rhwng y ddau feic, uchder y ddau asgwrn cefn, cryfhau'r berthynas gyda'r ystyllod a'r hoelion ac yna gallai dau feiciwr profiadol gludo clwyfedigion i ddiogelwch ac i gyrraedd meddyginiaeth.

Fel yr hwyrhâi'r noson, byrhâi tymer Ifan Paraffîn.

'O's isio hoelio'r fatras i'r gwely?'

Plygodd Ifan Ifans ymlaen i astudio cyfarwyddyd y comic a orweddai ar y fainc. Yn fwriadol, neu'n anfwriadol, plygodd Benji ymlaen i ddal y gannwyll uwchben y papur a disgynnodd diferion o wêr chwilboeth ar gorun moel y Paraffîn. Bu'n rhaid i'r Saer achub y bychan rhag cael ei dagu deirgwaith o fewn cwmpas un noson.

Erbyn naw o'r gloch roedd y beic-ambiwlans ar ei draed ac wedi magu siâp. Dyna'r pryd yr aeth hi'n dynnu cotiau rhwng y ddau beiriannydd.

'Rŵan, ma' hi'n angenrheidiol inni glymu'r ddau feic wrth 'i gilydd gerfydd 'u cyrn gyddfa' hefo blewyn o gortyn.'

'Nonsans,' ebe'r Paraffîn.

'Pam mae o'n nonsans?' holodd y Saer.

'Os g'newch chi hynny, yna mi 'newch ddamej i'r balans, siŵr dduwch.'

'Choelia' i. 'Drychwch be ma'r comic yn 'i ddeud.'

Wedi cipio'r canhwyllbren o law Benji, heb na phlîs-na-thenciw, plygodd Ifan yn ei gwman uwchben y *Monster* i graffu unwaith eto ar y cyfarwyddiadau.

"Tydi'r papur yn sôn 'run sill am glymu cyrn gyddfa'r ddau feic. 'Run blwming sill.'

"Dach chi'n siŵr, Ifan Ifans? Yn hollol siŵr?'

'Be, 'dach chi'n ama' 'ngair i ne' rwbath?'

'Tydi'r bêj â'i phen i lawr gynnoch chi i ddechra'.'

Cipiodd Ellis Lloyd y dudalen o dan drwyn y Paraffîn er mwyn ei throi hi â'i phen i fyny. Yn y styrbans disgynnodd diferyn arall o'r gwêr chwilboeth ar gefn llaw y Paraffîn.

'Y pry pren cythral.'

'Hannar munud. Yr Ifan sbectols gwaelod-pot-jam.'

Penderfynodd Benji ma' dyma'r amser cyfaddas iddo gilio o'r Gweithdy cyn yr ornest a oedd yn sicr o ddigwydd. Bagiodd wysg ei ben ôl i gyfeiriad drws y Gweithdy a bod yn glustiau i gyd 'run pryd.

"Do's 'na 'run sglyfa'th 'di 'ngalw i yn Ifans sbectols gwaelod-pot-jam a 'di byw i gofio hynny.'

'Ma' 'na eithriad i bob arfar. Dowch gam ymlaen i mi ga'l rhoi swadan i chi hefo'r ordd bren 'ma.'

'Reit.'

Camodd y prentis o faes y gad i dawelwch y nos. Fel roedd o'n cerdded i gyfeiriad y pentre clywodd y Saer, o bawb, yn llafarganu'r rhigwm aflednais y bu yntau'n ei utganu'n gynharach, a chael ei geryddu am wneud hynny — 'Ifan Paraffîn yn dreifio ar 'i din!' Yna, clywodd sŵn fel petai corff arall yn cael ei luchio i'r domen llwch lli am yr eildro yr un noswaith.

'O! wel,' ebe Benji wrtho'i hun, 'hwyrach y daw'r beic-ambiwlans yn handi iddyn nhw'n gynt na'r disgw'l.'

Cyflymodd ei gam a'i throedio hi'n hapus i gyfeiriad giât tŷ Phillips, Gweinidog y Bedyddwyr, a'r maes llafur newydd oedd fwy wrth ei fodd.

*   *   *   *

'. . . Pedair owns o, *let's see,* stwns tatws . . . *mashed potatoes* 'nte? Un *ounce of fat.* A . . . *please pay attention,* pedair neu pump llond llwy bwrdd o llaeth, *milk* . . . *Now,* cymysgu blawd a'r halen, *well* ynte? A'r *powder* pobi . . .'

'I be' ma' isio rhoi powdr babi yn y sglyfa'th peth?' holodd hen ferch Cil Haul wedi camglywed un o'r cyfarwyddiadau.

'*Powder pobi, dear* Miss Jones, nid *powder* babi. *For heaven's sake.*'

Brithast o Abersoch oedd Miss Leilia Winter-Bottom a'i thad yn perthyn i'r to cynta' o locustiaid i ddisgyn ar y pentre, yn y dauddegau, a gwladychu yno. Y mwngrel yn ei blewyn a barai iddi ddweud popeth mewn bratiaith o Gymraeg ac eilwaith mewn swanc o Saesneg wrth gynulleidfa gymysg o Gymry cwbl naturiol, a'r fwngreliaeth honno a roddai iddi'r hyder i gyflwyno Resipi Twm Taten, fel y'i gelwid, i resi o wragedd ffermydd cynefin â pharatoi gwledd Belsasar o ginio-dyrnu allan o friwyd gweddill. Marchogai o gwmpas y plwy, yn enw'r W.R.V.S., ar feic 'lwynion wyth modfedd ar hugain, â chi rhech yn ei fasged, i hyrwyddo amcanion y Rhyfel.

'Rhoi'r cwbl yn y popty, *in the oven,* am pymthag munud. Reit? *Fifteen minutes* 'nte? . . . *And bake well.* Ma' o'n rhad. *It's cheap.* Hawdd i' gneud, *easy to cook and it saves bread. Let's give three cheers to good old* Mister Winston Churchill.'

Wedi i'r curo dwylo marwanedig beidio, aeth Miss Winter-Bottom ymlaen i ddangos i wniadyddesau medrus glannau Afon Soch sut i wneud tronsiau a blwmars allan o hen gyrtenni les.

'Y peth cynta' i' g'neud ydi mesur y gŵr, ne'r cariad 'te, *round the waist,* fel hyn. Stevens *dear,* ddowch chi yma i mi ca'l mesur chi?'

Y foment honno lluchiwyd drysau dwbl festri Piahiroth led y pen a daeth Ellis Lloyd y Saer ac Ifan Paraffîn i mewn yn darnlusgo'r beic-ambiwlans a Benji, fel gwas cyflog, yn hongian wrth y tinbren. Aeth cleddyf llym daufiniog drwy galon Phillips y Gweinidog o glywed y ddyfais newydd yn sgriffinio'r paent ffres oddi ar y drysau ac yn crafu'r staen newydd oddi ar y seti; nid bod gweld Benji, a oedd newydd ddechrau gosod dyrnwr gyda'i ail ferch, yn cynhesu dim ar ei ysbryd. Cafodd y beic-ambiwlans a'i ddyfeiswyr gymeradwyaeth wresog.

Bu'n rhaid rhoi heibio'r gwaith gwnïo yn y fan; dechreuodd dynion y gynulleidfa gerdded o amgylch y peiriant fel ffermwyr mewn ocsiwn.

"Tydi o'n declyn digon o ryfeddod, digon o ryfeddod,' sylwodd William Huws, Beudy'r Gors, a phwnio'r fatras â blaen ei ffon fel petai o yn y mart yn Sarn Meillteyrn.

'Ag fel olwyn o syml. Bendith arnoch chi, hogia'.'

'Pwy gythril 'sa' 'di meddwl bod 'na ddim ym mhen Ifan Paraffîn 'ma?' holodd hwsmon Rhoscryman Bach a throi at rai o'r gweision eraill. 'Ro'n i 'di ryw feddwl 'rioed bod 'i ben o fel gogor.' Taflodd winc dyn meddw ar hwn a'r llall cyn troi at y prentis. 'Gwranda, Benji, boi, 'sa'r gwely 'ma i'r dim i ti fynd â hogan Phillips 'ma i drwbwl.'

Aeth un neu ddau i ledorwedd ar y beic-ambiwlans i brofi'i gryfder a'i gyfforddusrwydd.

'Mae o fel y graig, hogia' bach. 'Ddalia ddaeargryn.'

'Ew, fel 'tasa' rywun yn 'i wely 'i hun adra.'

Gwilym Cwningod, Wilhelm Kaninchen felly, oedd yr unig un i daflu dŵr oer am ben yr ymdrech.

'Ryw didli-winc o beth 'di o. 'Sa'r Jeri'n rhoi'r blits ar hwn, mi chwala'n un baich o goed tân. Dew andro, 'sa' Jyrman, rŵan, 'di rhoi un beic yn y pen blaen a'r llall yn y pen ôl.'

'Y?'

'I be?'

''Tydi o'n rhy lydan o beth cythral i ffyrdd cyffredin, 'tydi?'

Miss Winter-Bottom, Eider Down, a gyflwynodd y gwobrau.

'Phosferine Tonic Wine i Mr. Ellis Lloyd 'nte.'

'O's 'na waed mul mewn peth fel hyn?' holodd y Saer iddi rhwng difri a chwarae.

'The Reverand Limerick assures me it's strictly T.T.'

'O!'

'And one Thomas Wallis Shelter Suit, wool-lined, i *dear Mister Evans,* Paraffîn.'

'Thenciw, Miss Bottom.'

A'r unig beth a dderbyniodd Benji, druan, am ei holl drafferth oedd cic yn ei ben ôl gan hwsmon Rhoscryman Bach am 'sefyll yn gola'.

* * * *

Codwyd gwraig Tŷ Capel Piahiroth (B) o'i gwely, berfedd nos, gan olau'n dawnsio yn y Festri. Aeth yno'n bryderus, yn ei choban. Ifan Ifans Paraffîn oedd yno, yn gynddeiriog ulw, yn chwilio am Stifyns Siop-y-Post er mwyn cael ei lindagu. Wedi mynd adref, yng ngoleuni melyn y lamp baraffîn y sylwodd o ar y geiriau *'Ladies only'* ac *'one size'* ar baced y siwt. Wedi rhwygo'r parsel y sylweddolodd nad âi neb ond pioden o ferch ifanc, feinwasg, i mewn i'r *Thomas Wallis* o gwbl.

Wedi chwilio'r Festri, bob twll a chornel, a chael ei sicrhau bod Stifyns wedi'i throi hi ers pobeidiau, cychwynnodd y Paraffîn am Siop-y-Post, â'i lantarn yn ei law, yn frwd ei ysbryd, gan lwyr fwriadu dechrau infesion lleol y noson honno.

* * * *

Yn ystod yr wythnos gyntaf o Hydref 1943, fin nos, y bu'r infesion gwir. Fel y proffwydodd Stifyns, fwy nag unwaith, y sein cyntaf o'r goresgyniad hirddisgwyliedig oedd Limerick y

Person, fel y tybid ar y pryd, yn canu cloch hen Eglwys Sant Cïan yn y modd mwyaf cynddeiriog. Cerddodd pawb a allai wneud hynny, ac a oedd o fewn clyw iddi, linc-di-lonc i gyfeiriad Festri Piahiroth a diogelwch. Ni welwyd unrhyw or-ruthro. Disgwyliodd Ifan Tyddyn Tlodion i'r fuwch ddarfod bwrw'i llo a gorffennodd Lisi Sgubor Ddegwm separetio'r llaeth a rhoi diod i'r cathod; cwblhaodd Morris Williams, Llenorfa, ei golofn wythnosol i'r *Herald Cymraeg,* gan gyfeirio, wrth gloi, at yr 'infesion' a lingrodd Gwilym Cwningod wrth far y New Inn nes drachtio'r diferion olaf o'r gwaddod; hir-ffarweliodd Benji a merch Phillips y Gweinidog ar ben llwybr Gwag-y-noe cyn i'r ddau gychwyn cerdded tua'r un lle ar hyd cefnffyrdd gwahanol, ac aeth hen ŵr Pant-y-pistyll ati i sgleinio'i sgidiau gorau a rhoi dŵr ar ei giw-pî cyn meddwl cychwyn allan.

Roedd yr awyrgylch y tu mewn i Festri Piahiroth, wedi i'r rhan fwyaf gyrraedd, yn debycach i un cymanfa, neu sioe flodau, a'r plwyfolion yn holi'i gilydd am brisiau 'sbyrniad a phwy oedd â golwg am fabi, oedd rywun wedi gweld y dyrnwr chwythu newydd a phwy ddeudodd fod hen wraig Felin Gaws yn mynd i briodi eto?

Yna, yn sydyn, rhuthrodd Meiji Jên Siop-y-Post i mewn i'r Festri, yn dân ac yn fwg, mewn cryn wewyr, fel dafad wedi colli'i hoen.

'Ma' 'mrawd ar goll.'

Brawychwyd y gynulleidfa dros brynhawn.

'Y?'

'Be?'

'Ar goll ddeutsoch chi, Meiji?'

'Ia. A Hitlar yn dŵad heno 'ma, a bob dim.'

A dechreuodd Meiji Jên bowlio crio a sychu'i thrwyn yn sidêt hefo hances boced, seis stamp. 'Doedd neb cyn hynny wedi gweld colli Cadeirydd y Pwyllgor Amddiffyn, serch ei bod hi'n argyfwng. Ond wedi'r sylweddoliad roedd pawb yn fawr eu pryder amdano. Wedi sodro Meiji Jên ar stôl y piano, cymerodd

Ellis Lloyd y Saer at yr awenau a mynd ati i'w chroesholi'n dwll.

'Rŵan, Meiji, 'sgynnoch chi ryw inclin lle ma'ch brawd?'

'Dim obadeia. Mi ddiflannodd fel iâr ddodwy.'

'Wel, lle 'dach chi'n meddwl mae o?'

'Ar goll.'

'Diawl, 'wn i hynny. Ar goll ymhle?'

'Rŵan, llai o nadu,' gorchmynnodd y Saer. 'Ma' dŵr yn brin, hitha'n adag rhyfal. Deudwch i mi, Meiji, ydi 'i feic o yn y cwt allan?'

'Ella . . . Ac ella ddim 'te.'

Sowth Now oedd y cyntaf i roi dau a dau wrth ei gilydd, serch iddo gael yr enw o chwith.

'Wel, erbyn cysidro, 'tydi'r ddwlal 'na o Abersoch, y Miss Bottom-Winter ne' rwbath maen nhw'n 'i galw hi, 'tydi honno ddim yma 'chwaith.'

'Wel nag ydi, siŵr ddyn.'

'Ac ma' hi i fod yma.'

'Fath â phawb arall.'

'Rhyfadd na fasa' rhywun wedi gweld 'i cholli hi 'te.'

''Nte?'

Byddai wedi bod yn haws gwasgu dŵr o garreg na chael y gwir allan o grombil Meiji Jên.

'Rŵan Meiji Jên,' ebe Ellis Lloyd, yn fwynach beth, ''ych lles chi, a lles 'ch brawd sy gin pob un ohonon ni mewn golwg. Deudwch wrthon ni, lle ma'r llymbar 'di hel 'i draed?'

'Wel . . . y . . . i lethra'r Foel Gron mae o 'di mynd.'

'Wela' i. I swsian felly?'

'I hel llus.'

'Be, 'radag yma o'r flwyddyn?'

'M . . . ia.'

''Radag yma o'r nos?' holodd hwsmon Rhoscryman Bach, yn gecrwth.

'A go brin 'u bod nhw 'di clywad y gloch, Elis Lloyd . . . Wrth bo' nhw'n hel llus 'te,' ychwanegodd Meiji.

'M! 'Wela' i,' atebodd Ellis Lloyd. 'Ond ma'n 'bycach gin i ma' gori allan maen nhw.'

Cytunwyd, fwy neu lai'n unfrydol, y byddai hi'n ofynnol i gael y ddau i'r Festri cyn gynted â phosibl er mwyn i bawb arall gael cyfarwyddyd oddi ar law Stifyns, a gwirfoloddodd y Saer i'r gwaith o'u cyrchu yno.

'Wel, fasa' chi'n dymuno i Ifan Paraffîn, Ifan Ifans felly, a finna' 'u cyrchu nhw i'r festri 'ma ar y beic-ambiwlans? Mi fasa' hynny'n ddiogelach, o dan yr amgylchiada', a flewyn yn gynt. Hynny ydi, os 'di Ifan 'ma'n gêm?'

'Ydw, mi rydw i'n gêm. Ar un amod 'te.'

'Ia?'

'Ein bod ni'n ca'l dŵad adra lawr Allt Talgraig, er mwyn y ffri-wîl.'

'Ond be am Mam dlawd?' gofynnodd Albyrt Tyddyn Priciau. 'Ma'r wraig 'cw a finna' yma ond ma' hi yn dal yn y groglofft.'

'Geith hi ddŵad hefo'r ail lwyth.'

'Diolch, Ifan.'

'Dyna ni 'ta, mi eith Ifan 'ma a finna' at y Gweithdy, dowdow, i nôl y beic-ambiwlans. Gyfeillion, gweddïwch drosom.'

*   *   *   *

Nam yn y beic-ambiwlans, mae'n debyg, yn hytrach na'r diffyg gweddïo a achosodd y ddamwain.

Cafwyd hyd i'r ddau garmon, fel yr awgrymodd Meiji, yn swatio yn y grug ar lethrau'r Foel Gron yn astudio llyfrynnau diweddaraf y Weinyddiaeth Fwyd.

'Wel be gythral 'dach chi'ch dau yn 'neud yn fa'ma?' ebe'r Saer yn frwnt. 'A hitha'n infesion.'

'Infesion?'

Invasion, dear?

74

'Rŵan, neidiwch reit handi i'r gwely ar y beic-ambiwlans 'ma. Ac mi eith Ellis a finna' â chi i lawr am y Festri 'na gyntad fyth â phosib'.

'Ia, neidiwch i'r ciando'n reit handi, fel ma' Ifan yn deud, 'cofn i'r Hitlar 'na ga'l y blaen. A chydiwch yng nghwr y fatras fel dau granc 'cofn i'r beic-ambiwlans lympio.'

Nid lympio wnaeth y beic ond chwalu. Wrth ymyl adwy Crindir, lle mae'r ffordd yn fforchio — y naill yn disgyn i fuarth y ffarm islaw, a'r llall yn cordeddu ymlaen i gyfeiriad y pentre, â phwll hwyaid, gwyrdd-ddŵr, Crindir yn y canol — datgyfannodd yr ambiwlans. Dartiodd Ifan Ifans a'i feic i lawr y ffordd am iard y ffarm gyda chyflymdra peryglus, chwyrnellodd y Saer a'i feic ymlaen ar hyd y gefnffordd nes ymgolli yn nhroadau'r ffordd, a saethodd y gwely, a'r rhai a orweddai arno, dros eu pennau i'r llyn hwyaid.

Pan gyrhaeddodd y pedwar yn ôl i Festri Piahiroth, wedi cerdded gweddill y daith, roedd y plwyfolion wedi hen laru disgwyl am y Cadeirydd a phawb wedi dychwelyd i'w cartrefi, y rhan fwyaf yn hanner siomedig o beidio â chael cyfarfod â Hitler. Peth garw ydi codi gobeithion pobl dros flynyddoedd a'u siomi wedyn ar yr unfed awr ar ddeg.

Mae hi'n wir na ddaeth yr Ail Ryfel Byd i ben am flwyddyn a hanner wedyn ond bu farw Pwyllgor Amddiffyn Glannau Afon Soch a'r Cyffiniau y noson honno. Ond fe erys un cwestiwn na chaed ateb iddo hyd heddiw: Y Nef yn unig a ŵyr pwy glymodd y llathenni edau crydd wrth dafod cloch Eglwys Sant Cïan y noson ryfedd honno o hydref yn y flwyddyn 1943 a chychwyn infesion cogio.

Blwmar a Bom

Roedd Ifan Tomos, Barrach Ganol yn sugno yfed ei de ddeg o soser ac Elsi, ei briod, yn golchi'r separetor yn y bwtri pan fu'r ergyd annisgwyl honno yng ngwanwyn 1942. Gollyngodd Ifan Tomos y crystyn bara du — fel y gelwid torth dyddiau rhyfel — dros ei ben i'r gweddillion te a bowiodd John Elias, a safai ar y silff-ben-tan, yn benfeddw, beryglus i gyfeiriad *The Ladies of Llangollen.*

Wedi sadio'r separetor trotiodd ei wraig o'r bwtri i'r gegin a holi'n bryderus, 'Ifan, 'dach chi'n iawn? Be ddaru chi?'

'Gythril,' a dal i 'sgota'r slwdj bara o'i gwpan de gyda'i fys a'i fawd.

'Ddylach chi ddim cym'yd dwy lond llwy fwr' o'r Ebsom Solts 'na cyn mynd allan i odro.'

'Dew andro, rhowch gora' i baldaruo. Y tu allan i'r tŷ 'ma, nid y tu mewn i mi, ro'dd y styrbans.'

'O! . . . Wel powliwch hi allan 'ta, i'r iard, i weld be sy 'di digwydd. Ella' bod yr hwch 'di codi dôr 'i chwt oddi ar 'i cholyn, ne' . . . ne' bod y gasag 'di mynd i gaethgyfla . . . Wel, traed 'dani, Ifan, lle ista yn fanna fel delw yn slotian 'ch tei-fŵ.'

'Mi a' i rŵan, Elsi, 'mond i mi ddarfod 'y nhe.'

*   *   *   *

'Run pryd, roedd Plisman Sarn Meillteyrn yn darfod siafio yn y Cwt Allan, yn ei drons ac yn nhraed ei sanau. Nesodd eto'n nes at gefn caead y tun crim cracyrs i grafu'r wanaf olaf o sebon o dan glicied ei ên a dyna'r foment y canodd cloch y teliffon. Wedi sychu llafn y rasal ym mhig jwg y jwg-a-basyn, fe'i fflatwadnodd hi am y tŷ i ateb yr alwad.

'A helo 'na?'

'Pritchard, chi sy' 'na?'

'Su'dach chi, Siwpar?'

''Dach chi 'di bod yn hir gynddeiriog yn atab.'

'F-fore braf, Siwpar.'

'Ydi. Nagdi,' a chywiro'i hun yn gyflym. 'Ma' hi'n ddigon cymylog ym Mhwllheli 'ma.'

'O.'

'Wyddoch chi lle ma' Barrach Ganol?'

'Wel gwn.'

''Dwi isio i chi fynd yno, 'reiliad yma, fel 'rydach chi.'

Syllodd y Plisman, am foment, ar incil ei drons yn ei swingo hi'n y drafft.

''Dach chi'n dal hefo ni, Pritchard?'

'M . . . ydw, Siwpar.'

''Sgynnoch chi wynt yn 'lwynion y beic?'

77

'Oes. 'Snag ydi'r plant felltith 'di bod yn ymbricial hefo'r falfia' unwaith eto.'

'Wel, neidiwch ar 'i gefn o, Pritchard, a mynd yno 'gyntad byth ag y medrwch chi.'

'Dipyn o dynnu i fyny sy 'na cyn dŵad i Fodnitho ac wedyn wedi pasio Efal Seithbont.'

'Mi gewch ar 'i waerad felly ar y ffordd 'nôl. M . . . Pritchard, ma' 'na fom 'di disgyn yno.'

'Sut?'

'Ond bod y sglyfa'th heb ffrwydro . . . Hyd yn hyn. 'Dach chi'n dal yna, Pritchard?'

'Y-ydw.'

'Ro'n i'n ofni am funud hwyrach 'ch bod chi wedi cychwyn yn barod. Ylwch, Pritchard, cym'wch gythral o ofal na 'newch chi, na neb arall, ddim handlo'r peth. 'Di bomia' ddim yn betha' i' chwara' hefo nhw.'

'Felly 'dwi'n dallt.'

'Nefi wen, ŵyr yr Hôm Gard mo'r gwahania'th rhwng bynsan a bom. Wel, ffwr' â chi, Pritchard. Ma' rwbath yn deud wrtha' i y cewch chi wynt cefn i ddŵad yn ôl.'

*   *   *   *

Wedi cael ei wynt ato, cerddodd Ifan Tomos i lethrau'r cae y tu cefn i'r tŷ, o ble y gwelai ororau eithaf ei dair acer ar ddeg, a'r ast ddefaid yn sownd wrth bedol ei esgid. O'r uchder manteisiol hwnnw fe'i gwelodd hi, yn gorwedd ar wastadedd y cae porfa, yn feichiog, foldyn, yn hanner sgleinio yn haul y bore a dau o'r dynewyd blwydd yn pori'n hamddenol amgylch-ogylch iddi.

''Rargoledig, Fflei, 'faswn i'n tybio ma' bom 'di hi — er na welais i 'rioed fom o'r blaen. Wel, awn ni i lawr i ga'l golwg arni ac i ga'l gweld be sy'n 'i bogal hi.'

*   *   *   *

'Nôl pobl y goets fawr, ddyddiau'n ddiweddarach, Dwalad

78

Felin Eithin a'i wraig oedd yn gyfrifol am y gamdybiaeth. Ddwy noson yn flaenorol, fe fu gŵr Barrach Ganol yn Felin Eithin yn cael torri'i wallt ac yna damaid o swper. Dull Dwalad, gyda llaw, o dorri gwallt oedd rhoi powlen gron ar ben ei gymydog, torri'r dalar o dan ymylon y bowlen at groen y baw, yna, wedi tynnu'r bowlen, brigbori'r gweddill efo siswrn, digon di-fin, a gadael ar ôl fawr mwy na chudyn o gyw-pî ar y talcen.

Wel, y noson dan sylw, wedi'r barbio a'r swpera, a brwd drafod prisiau perchyll a rhinweddau Indian corn, a hithau wedi pasio'r un ar ddeg, fe benderfynodd gwraig Dwalad yr âi hi i'r gwely.

''Dwi, beth bynnag, am 'i throi hi am y cae sgwâr.'

'Cer di, Cadi bach. Fydda' i fyny hefo ti cyn byddi di 'di darfod dy badar.'

'Fydd raid i un ohonon ni'n dau godi i odro,' meddai hithau â'r miniogrwydd yn yr ateb yn awgrymu p'run o'r ddau oedd ganddi hi mewn golwg.

'Mi ddo' i, unwaith bydd Ifan 'ma 'di darfod 'i smôc.'

Cyn bod Ifan wedi darfod ei smôc roedd gwraig Felin Eithin yn ôl ar lawr y gegin, yn droednoeth ac yn ei choban.

'Mi anghofis i fynd â dŵr a halan hefo mi i fwydo 'nannadd gosod. Fedra' i ddim diodda' cadw 'nannadd yn 'y ngheg dros nos.'

'Gynnoch chi goban smart iawn, Catrin,' mentrodd Ifan Tomos, wedi sylwi.

''Dach chi'n meddwl hynny?' atebodd hithau cyn falched ohoni'i hun â sin-go.

'Nefi wen, oes. Sach blawd, deugant, wedi'i gannu, dyna sgin Elsi 'cw.'

'Dyna s'gin bawb o'r merchaid, bron,' eglurodd Catrin. ''Tydi hynny o gwpons dillad gawn ni ddim digon i brynu cadacha' llestri heb sôn am gobeni.'

Ochneidiodd Ifan Tomos ac agor cil ei galon i'w gymdogion.

'Mi fyddai'n laru darllan enw Lloyd Bee-hive ar grwpar y

wraig 'cw bob bora o'r flwyddyn fel 'dwi'n hwylio i godi.'

'Wel, Dwalad gafodd y goban 'ma i mi, ar ryw lwyn o frwgais heb fod ymhell o'r afon. Ynte, Dwalad?'

Wedi i'w wraig ddychwelyd i gynhesrwydd y gwely yr aeth Dwalad, Felin Eithin i egluro i'w gymydog sut yr oedd defnyddiau cobeni'n disgyn fel manna o'r nefoedd ar adeg rhyfel.

'Efo'r bomia' 'ma maen nhw'n dŵad.'

'Paid â deud.'

'Mae o cyn wiriad â 'mod i'n ista'n fa'ma.'

'Mi glywis i Captan Huws, Barrach Fawr, yn deud bod 'na ryw sbarion parasiwts i'w gweld amball dro.'

'Twt, be wŷr hwnnw?'

'Wel, mae o 'di bod ar y môr am flynyddo'dd.'

'O'r awyr ma'r rhein yn dŵad 'te. Na, ma'r Jyrmans yn lapio'r powdwr tu mewn i'r bomia' 'ma mewn sidan. Rhag iddo fo lychu yli.'

''Dwi'n gweld.'

'Ac yna, wrth fynd 'nôl i Jyrmani, wedi bod yn bomio Lerpwl, os bydd gynnyn nhw fom yn sbâr, mi 'goran hi a gwagio'r powdr i'r môr. Ac os bydd y gwynt o Borth Neigwl ma'r sidan 'ma'n ca'l 'i chwythu i'r tir. Felly ces i hwn yli.'

''Ti 'rioed yn deud.'

'Ffact i ti, Ifan. Wel, i be carian nhw lwyth heb isio, 'nôl bob cam i'r Jyrmani 'na, a'r paraffîn mor ddrud?'

'Mae o'n ddwy a dima'r galwyn gin Ifan 'Refal,' a gollwng ochenaid arall. Roedd Dwalad, erbyn hyn, yn bwrw drwy'i lewys ac yn llathennu peth.

'Ac mi fasat ti'n rhyfeddu y fath lathenni o sidan ma' nhw'n lapio am y powdwr. Ma' Cadi 'di gneud dwy goban yn barod, a chrys isa' ne' ddau, ac ma' gynni hi ddigon yn sbâr eto i 'neud blwmar owt-seis. Os gweli di fom yn rwla, Ifan 'ngwas i, dos i'w pherfadd hi gynta' byth ag y medri di. Wyddost ti ar y ddaear be ffendi di.'

*   *   *   *

Roedd mynd at berfedd y fom yn waith caletach lawer na'r hyn a awgrymodd y Felin Eithin. Bu'r gwaith o'i chludo o'r cae porfa i'r stabl yn gryn dasg i Ifan Tomos. O fynd ar ei gwrcwd llwyddodd i'w chodi i'w arffed, ond roedd cerdded cae anwastad a bom ganpwys ar ei arau yn grefft gynnil ac anghyfforddus. 'Doedd ymddygiad ei anifeiliaid o ddim cymorth iddo; pranciai'r dynewyd o bobtu iddo, fel lloea' bach allan am y tro cyntaf, a Fflei'n mynnu gogr-droi yn ei lwybr, fel ci syrcas, tan gyfarth yn wirion bost. Wedi gollwng y fom i lawr i gau giât y cae porfa a'i hailgodi eilwaith i'w arffed y darganfu Ifan Tomos mai'r dull mwyaf hyrwyddol o ddigon oedd symud fesul sbonc. Dyna welodd Pritchard, Plisman Sarn Meillteyrn, wedi iddo ddringo i ben stej laeth Foty Gerrig, math o gangarŵ ac un bach, mawr, yn ei boced o, yn hopian i gyfeiriad stabl Barrach Ganol. Synhwyrodd be oedd yn digwydd a neidiodd o'r stej laeth i gyfrwy'r beic bach a phenderfynu reidio i fyny Allt Seithbont er bod honno ar i fyny i gyd ac yn gnawes droellog ar ben hynny.

*   *   *   *

Fel petai o'n ŵydd yn dodwy wy, gollyngodd Ifan Tomos ei faich i drenglan o wellt yn niogelwch y stabl a'i wraig yn tendio arno.

'Elsi 'stynnwch y cŷn calad 'na i mi.'

'Hwn?'

'Ia.'

''Dwi'n siŵr, Ifan, bo' chi'n torri'r gyfraith.'

'A'r mwrthwl, Elsi.'

'Wel, y . . . fi sy'n meddwl.'

''Dach chi isio coban? Fatha s'gin gwraig Felin Eithin?'

81

'Fasa'n 'smwythach na bagia' blawd ieir Lloyd Bee-hive.'

'Daliwch 'ych dŵr 'ta, tra bydda' i'n agor hon i chi. Os medra' i.'

Rhoddodd Ifan Tomos waldan i ben y cŷn nes roedd sêr yn tasgu.

''Dwn i ddim pam ar y ddaear na fasa'r Jyrmans 'ma, a nhwytha' mor glyfar, yn g'neud y bomia' 'ma'n ddeuddarn. Fasa'n ganmil haws i griadur fel fi 'u hagor nhw wedyn.'

'A ddyla' gwraig Dwalad Felin Eithin ddim codi'n 'i choban, fel gna'th hi, gefn berfadd nos, a chitha'n sbïo arni hi.'

'Twt lol, sgwarnog arall 'di honno, Elsi. Handiwch yr ebill 'na i mi. A'r ordd.'

'Rhein, Ifan?'

'Ia.'

'Wel, gwyliwch dorri coes yr ordd, beth bynnag, a bynafyd 'ych hun.'

'Chi, 'ta fi sy'n handlo'r ordd 'ma, Elsi?'

O gael yr ebill a'r ordd i'w ddwylo, cododd Barrach Ganol ar ei draed er mwyn iddo gael rhagor o fantais i ergydio. Bytheiriai 'run pryd.

'Mae o'n ddirgelwch i mi, i be ma' isio defnyddio haearn mor dda i warchod dipyn o bowdr saethu,' ac ymladd am ei wynt. 'Sut gythril ma'r Hitlar 'na, yn disgw'l i hogia'r eroplens, wagio'r boms 'ma cyn troi am adra? Howld on, Elsi, ma' hi'n dechrau marcio rŵan. Mi 'gorith fel cneuan efo slap arall.'

'Gwyliwch hitio'ch bawd, beth bynnag.'

'Daliwch chi'r ebill i mi 'ta, rhwng 'ych bys a'ch bawd. Mi a' inna' i ben y blocyn torri coed tân 'ma, i mi ga'l gwell swing.'

Fel roedd Ifan Tomos yn codi'r ordd, a'i wraig wedi cau'i llygaid yn dynn, yr ymddangosodd pen Pritchard y Plisman yn nrws ucha'r stabl. Sylweddolodd beth oedd ar ddigwydd.

'S-s-sgiwsiwch fi, Ifan Tomos. 'Newch chi ymatal rhag rhoi 'run ergyd arall?'

'Pritchard! Wel, o ble ar wynab y ddaear y deuthoch chi?'

Ailgododd Ifan Tomos yr ordd eilwaith, yn fygythiol, hyd ddistiau'r stabl.

'Mi fydda' i hefo chi mewn winciad gwybedyn, dim ond darfod agor y satan bom 'ma.'

Cododd y Plisman, yntau, ei freichiau i entrych nef a gweiddi, 'Frawd! Ymataliwch.'

'Su'dach chi'n geirio, Pritchard?'

Wedi llyncu'i boeri, agorodd Pritchard ddrws isa'r stabl a chamu i mewn. 'Ifan Tomos, 'dwi'n cymyd yr arf 'ma oddi arnoch chi ac yn 'ych arestio chi yn enw cyfraith gwlad.'

'Ond Pritchard bach, fedar neb agor bom heb ordd.'

Gwthiodd y plisman ei helmet yn ôl ar ei wegil a sychu'r perlau chwys oddi ar ei dalcen gyda chefn ei lawes.

'Frawd annw'l, mi fedrach chi fod wedi chwythu Barrach Ganol 'ma a'r gymdogaeth yn shitrws mân.'

'Be? Efo gordd?'

Wedi cael tamaid o ginio efo Ifan ac Elsi Tomos yn Barrach Ganol — ac Elsi wedi rhoi chwech o wyau ffres yn helmet Pritchard ymlaen llaw, rhag ofn iddo fo'u hanghofio nhw — penderfynodd y plisman beidio ag arestio'r ffarmwr. Fodd bynnag, wedi cinio bu'n rhaid iddo seiclo'n ôl bob cam cyn belled â Chapel Neigwl a'r cwt ffonio er mwyn cael cyfarwyddyd y Pencadlys ym Mhwllheli ynglŷn â'r fom. Adroddodd hanes y waredigaeth gyfyng a gafwyd gan roi mwy o glod iddo'i hun nag oedd yn ddyledus. Fodd bynnag, ni lwyddodd i dawelu pryderon yr Uwch-arolygydd.

'Ia, Pritchard. A lle ma' hi gynnoch chi rŵan?'

'Musus Tomos?'

'Ia. Nagi. Y fom 'dwi'n feddwl.'

'Ma' hi'n y stabal, Siwpar.'

'A lle ma'r ordd?'

'Yn y stabal, hefo hi.'

'A lle ma'r Ifan Tomos hwnnw, ne' beth bynnag maen nhw'n 'i alw fo?'

'Yn y stabal. Efo'r ddau arall 'te.'

Poerodd yr Uwch-arolygydd i'w ben o i'r teliffon nes teimlodd Pritchard, yn y pen arall, fod 'na ddiferion o ddŵr yn cael eu saethu i'w glust o.

''Rarab dwl. Y nincompwp hurt. Y . . .'

'Sut 'dach chi'n geirio, Siwpar?'

'Ylwch. Seiclwch yn ôl i'r Barrach Ganol 'na fel 'tasa' 'na dân o dan deiars 'ych beic chi.'

'Ond, Siwpar bach, 'dwi hannar ffordd adra yng Nghapal Neigwl.'

'A ma' hwn'na'n orchymyn — nid yn gyngor. Ac ylwch, mi 'fynna' inna' i'r Hôm Gard ddŵad i warchod y stabal. Peidiwch â syflyd gam o'r lle nes daw y rheini i'r fei.'

'Reit o, Siwpar.'

'Pritchard, ma' gin i amgenach syniad.'

'O?'

'Ma' 'na gwyno enbyd bod tacla'r Hôm Gard 'ma, unwaith y cân' nhw 'u traed ar y ffermydd, yn yfad wya' ieir wrth y dwsina', ac mi wyddoch petha' mor brin ydi'r rheini. Y . . . wya' felly.'

'Prin iawn.'

A meddyliodd Pritchard am yr hanner dwsin oedd yn ei aros o yn Barrach Ganol.

'Y peth gora', er lles pawb, fydd trio'i symud hi o'r stabal i'r Polis Stesion yn Sarn Meillteyrn.'

Bu saib yn y sgwrs.

''Dach chi'n dal hefo ni, Pritchard?'

'M . . . ydw, Siwpar.'

'Mi 'ddylis i am funud 'ych bod chi 'di cychwyn ar y gwaith yn barod. Ma'r beic bach yn dal gynnoch chi?'

'Ydi, Siwpar.'

'A ma' gynnoch chi gariar ar cefn 'does?'

'Oes, Siwpar.'

'Dyna chi, os cewch chi fenthyg llathan o linyn beindar gin

Ifan Tomos mi fedrwch glymu'r fom ar gariar y beic a reidio hefo hi i lawr i'r Sarn.'

'Ond, Siwpar bach, fasa' dim gwell i ni ga'l y car o Bwllheli?'

'Y car? Be 'tasa' hi'n ffrwydro yn hwnnw? Fedrwch chi ddim ca'l ceir heddiw 'ma yn unlla, am bris yn y byd.'

'Ond be' amdana' i, Siwpar?'

'Twt, Pritchard. Peidiwch â phoeni am y beic. Ma'r rheini'n llawar haws u' ca'l na ceir. Gyda llaw, peidiwch â'i gollwng hi'n rhy gynddeiriog lawr 'rallt 'cofn i chi ga'l tafliad i'r 'lwynion.'

'Thenciw.'

'Ac ylwch, Pritchard, dowch â'r ordd o'no, 'run pryd, rhag ofn i'r honco ddŵad ar draws bom arall a thrio mynd i' bol hi.'

'Os ca' i fy lladd wrth ddilyn fy ngoruchwylion, fydda' i ddim isio bloda' gin yr Heddlu ac mi fydda' i'n dragwyddol ddiolchgar os arhoswch *chitha*' gartra o'r cnebrwn' . . .'

'Fydd yn blesar gin inna', Pritchard, ufuddhau i'ch dymuniada' chi. Ond, cym'wch ofal ar y gelltydd.'

'Tasach chi'n ddyn capal, 'swn i'n gofyn i chi weddïo drosta' i.'

'Fel deudis i'n gynharach, Pritchard, ma' 'na siawns bach y cewch chi wynt cefn ar 'ych ffor' 'nôl.'

*   *   *   *

Hir a blin fu'r daith o stabl Barrach Ganol yn ôl i Dŷ'r Plisman yn Sarn Meillteyrn. Erbyn cyrraedd Pont Seithbont roedd llinyn beindar Ifan Tomos wedi natur llacio, a'r fom yn tueddu i rowlio, a'r plisman ofn mentro datod y llinyn er mwyn ei hailglymu hi rhag ofn iddi ffrwydro a'i ladd o. Penderfynodd Pritchard mai'r peth diogelaf iddo oedd reidio pob gwastad didroadau a cherdded i lawr y gelltydd a rownd corneli. Y brofedigaeth fawr arall oedd fod pwysau'r ordd, a glymwyd ar yr asgwrn cefn, yn gwneud y beic yn beryglus ar oriwaered a bod coes yr ordd, wrth i'r plisman badlo, yn crafu'n ei afl nes ei bod hi'n gignoeth.

Wedi cyrraedd giât ei gartre, llywiodd y beic yn ofalus i lawr y llwybr i gyfeiriad y Tŷ Bach yng ngwaelod yr ardd. Daeth i'r penderfyniad, ymhell cyn iddo gyrraedd troadau Eglwys Llandygwnin, mai'r closet fyddai'r man diogelaf i gadw'r fom hyd nes y deuai cyfarwyddyd pellach o Bwllheli ynglŷn â'i thynged.

Wedi i Pritchard roi 'i feic i bwyso'n ysgafn yn erbyn wal sinc y closet, a throsglwyddo'r fom ffrwydrol o'r cariar i'r orsedd — a hynny mor dyner â bydwraig yn handlo baban — rhaffodd glicied y drws o'i ôl â'r llinyn beindar, rhag ofn i blant y pentre fynd yno i sbaena, a cherddodd, yn llai pryderus, i gyfeiriad y Cwt Allan i olchi'i ddwylo.

'Llewelyn!'

Gwraig Pritchard oedd yno â'i hanner allan o ffenestr y llofft gefn lle roedd hi'n sbring-clinio.

'Ia, Eurwen?'

'Lle 'dach chi 'di bod?'

'Dwâd 'te.'

'Ma'ch hadog chi 'di hen fferru.'

'Mi a' i ato fo rŵan, Eurwen.'

'Gyda llaw, ma'r Siwpar newydd ffonio.'

'O?'

'Yn deud y gellwch chi luchio ryw hen fom ne' rwbath i'r doman ludw, pryd leciwch chi.'

'Be?'

'Un wag o'dd hi wedi'r cwbl.'

'Un wag? A finna' 'di lardio . . .'

Yn ffyrnigrwydd y ffrwydrad, ymddatododd tŷ bach plisman Sarn Meillteyrn yn fil o ddarnau mân a siglwyd y pentre gan yr ergyd. Lluchiwyd y Plisman gan y rhyferthwy, â'i din am ei ben, i lwyn o dri-lliw-ar-ddeg a oedd yn ymyl blodeuo a sugnwyd ei briod gan y drafft nes ei bod hi dri chwarter allan o'r ffenestr ac yn sownd yn y ffrâm.

Unig sylw Pritchard wedi iddo godi ar ei draed oedd, ''S'gin i ond rhoi gair o ddiolch nag oeddach chi, Eurwen, na finna' ddim ar yr orsadd ar y pryd.'

Sychodd ei ddwylo yn ei siwt a cherdded yn sigledig am y tŷ gan holi wrth fynd.

''S'gynnoch chi, Eurwen, ryw syniad be 'di nymbar y Siwpar?'

*   *   *   *

Fel arfer, Morris Williams, Llenorfa, a fynegodd deimladau'r fro yn ei golofn wythnosol — 'O Borth Neigwl i Ben y Garn', ar dudalennau'r *Herald Cymraeg* o dan y pennawd — 'Gwaredigaeth Ryfeddol.

Dyna fu hanes ein cyfaill, y Cwnstabl Ll. Pritchard, Sarn Meillteyrn a'i anwylaf briod. Ymddengys i Mr. E. Thomas, Barrach Ganol, ddarganfod bom ar ei gae fore Mawrth diwethaf ac iddo ei chludo i'r ystabl er ei diogelwch. Edmygir, yn gyffredinol, ddewrder y Cwnstabl Ll. Pritchard yn cario'r ddywededig fom ar ei ddeurod o'r ystabl i'w gartref, pellter o bump i chwe milltir. Yn anffodus, wedi i'r cwnstabl ddodi'r fom yn y Closet, hyd nes iddo dderbyn arweiniad pellach ynglŷn â hyhi, fe ymffrwydrodd.

Deëllir bod y ddeuddyn, sef y Cwnstabl a Mrs. Pritchard, yn ymgryfhau yn feunyddiol a dymunir iddynt bob dedwyddwch i'r dyfodol.

Claddu'r Mochyn Du

'Benji, 'ngwas i, rho'r bwcad 'na 'dan 'i ben o lle bod o'n diferu i'r blawd lli. 'Do's dim rhy 'falus i fod ar adag rhyfal fel hyn.'

''Neith y bwcad llith llo 'ma, Giaffar?''

'Gneith, 'ngwas i, dim ond gofalu rhoi dŵr drosti hi wedyn.'

'Argol, mae o'n homar o fochyn 'tydi?'

'Wel, mi 'neith chwe ugian, ne' well, wedi darfod gwaedu. Heblaw, mi rhown ni o ar y stiliws yn y bora i ni ga'l 'i bwysa' fo'n iawn. Mi fedrwn ni glandro wedyn am faint y pwys y medra' i 'i ailwerthu o'n ddarna'.'

Ar noson smwclyd, fudr yn nechrau Tachwedd 1943 — yn nhywyllwch y blacowt — roedd Ellis Lloyd, saer y pentre, a'i brentis, Benjamin, yn darfod hongian mochyn newydd ei ladd wrth un o drawstiau'r Gweithdy. Fe'i lladdwyd o'n gynharach

88

yn y dydd a bu'r ddau wrthi drwy gydol y pnawn yn sgaldian a sgwrio'r corpws ac yn eillio ychydig ar y blew.

'Ma' Mistar Limerick y Person yn gofyn geith o ddarn o ysgwydd gynnoch chi?'

'Geith o be' fedra' 'i sbario, 'te 'ngwas i?'

'Reit, Giaffar.'

'Gyda llaw, lle rhois di iau'r mochyn?'

'Mae o mewn tamad o'r *Herald Cymraeg* ar ben y maen llifo, allan.'

'Nef a'n gwaredo, ma'n rhaid i ti 'i symud o fan'no rhag ofn i'r hen gwrcath 'na ga'l ato fo. 'Dwi 'di addo tamad ohono fo i wraig Phillips, y Gw'nidog Batus . . . 'Tydi o'n fochyn â hyd da yn'o fo dŵad?'

Camodd Ellis y Saer gam neu ddau'n ôl i edmygu'r mochyn a laddwyd yn llewych egwan y lamp baraffîn.

Gŵr canol-oed-ifanc oedd y Saer ym mlynyddoedd cynnar y Rhyfel — wythnos neu ddwy'n rhy hen i gael ei gonsgriptio i'r lluoedd arfog ond, ar y dechrau, yn ystyried ei hun flewyn yn ifanc i ymuno o'i wirfodd â'r platŵn lleol, oedrannus o'r Hôm Gard.

''Dach chi'n meddwl, Giaffar, y basa' Mam yn ca'l hannar y pen i 'neud brôn? Ew! fydda' i'n lecio brôn cartra 'di Mam 'i 'neud o.'

'Fydd raid i mi ga'l gweld lliw 'i phres hi'n gynta' i weld fedar hi 'i fforddio fo. Cofia di, clap, ma' dyn busnas 'dwi — nid cenhadwr. Reit 'ta, mi ddiffoddwn ni'r lamp baraffîn a'i ada'l o, am heno, i ddarfod fferru.'

Bu blynyddoedd cynnar y Rhyfel yn rhai digon main i'r Saer. Cerddai ffermdai'r fro i batsio ambell ddrws stabl neu drwsio tŷ gwair wedi hyrddwynt, a threfnu angladd hwn ac arall, 'nawr ac yn y man, yn ôl trefn natur a dymuniad eu teuluoedd. Wedi'r cwbl, roedd coed ym mlynyddoedd y Rhyfel yn eithriadol o brin. Yn fuan, fodd bynnag, sylweddolodd Ellis Lloyd fod bwyd, os beth, yn brinnach ac y gallai ychwanegu'n sylweddol at ei enillion drwy brynu moch ar y farchnad ddu a'u hailwerthu nhw'n dameidiau hwylus i denantiaid tai preifat. Sylweddolodd, hefyd, fod gan bawb ei bris, yn cynnwys y Person a'r Gweinidog Batus; wedi'r cwbl, roedd 'na gyfandir o wahaniaeth rhwng stiw tun o Werddon ac asen fras mochyn a fagwyd yn annwyl a lleol.

*   *   *   *

'Oes 'na bobl yma?' holodd y llais mewn tôn a awgrymai fod yno rai.

Yn ei fawr fraw, neidiodd y prentis i gesail y Saer ond cafodd hergwd gan hwnnw.

''Newch chi agor y drws?'

'Plisman, myn sglyfa'th i,' sibrydodd y Saer o dan ei wynt.

'Argol, Giaffar, be 'nawn ni?'

'Y mochyn, 'ngwas i.'

'Y?'

Disgynnodd llygaid Ellis Lloyd ar yr arch sbâr, gaead-agored, a orweddai ar y fainc.

'I mewn i hon â fo.'

'Y?'

'Reit handi, 'ngwas i. 'Sdim amsar i hel dail.'

'Agorwch y drws ar unwaith,' gorchmynnodd y llais.

'Neidia i ben ferfa, 'ngwas i, i' dynnu o oddi ar y bachyn. Mi caria' inna' fo i'r arch.'

'I'r arch, Giaffar?'

'Yli, clap, 'sna ddim amsar i gynnal cwest rŵan. Ma' hi'n awr o argyfwng. Tân 'dani, 'ngwas i.'

Fel roedd y Saer yn darnlusgo'r mochyn i gyfeiriad yr arch, a'i draed o'n rhychu'r blawd lli o dan y pwysau, daeth bygythiad o gyfeiriad y drws.

'Rydw i'n gorchymyn i chi agor y drws 'ma, yn enw'r Llywodraeth, cyn i mi roi fy ysgwydd yn ei erbyn o.'

'Fyddwn i hefo chi rŵan, Syr,' gwaeddodd y Saer, yn ymladd

am ei wynt. 'Dim ond i chi roi eiliad ne' ddau i ni, i ni ga'l darfod sgriwio caead yr arch 'ma.'

'Eiliad yn unig 'ta.'

'Rŵan, 'ngwas i, tria roi dipyn o'r amdo 'ma drosto fo a . . . a sgriwia'r caead i' le tra bydda' i'n newid y gôt lian 'ma; ma' hi'n saim mochyn i gyd.'

Ond, fel roedd Benji'n troi'r sgriw ola' a'r Saer yn hanner dawnsio o gwmpas y gweithdy, fel cath fôr mewn trôns, gan ymdrechu i' wthio'i hun rywsut-rywsut i'r gôt liain lân, daeth y rhybudd terfynol.

''Dwi'n bwrw'r drws 'ma i lawr . . . rŵan!'

Lluchiwyd drws y Gweithdy'n agored, led y pen, a landiodd dandi o ddyn bychan — ond bod ganddo fwstas bygythiol — â'i din am ei ben yn y domen sglodion. Cododd yn sbringar, serch hynny. Wedi sychu'r llwch lli a'r sglodion oddi ar frest ei gôt ucha', ac ailosod ei het, chwipiodd gerdyn o boced ei gesail a'i ddangos o.

'John J. Jenkins, *Minister of Food – Inspector.*'

★   ★   ★   ★

> *Goodbye, don't sigh,*
> *There's a silver lining in the sky,*
> > *Bonjour old thing,*
> > *Cheerio, chin-chin,*
> *Napoo, toodlewoo, goodbye.*

Roedd y Parchedig L. M. S. Limerick ar ei daith hwyrnosol o dafarn Glyn-y-weddw i'r New Inn — un arall o'i hoff ffynhonnau — ac yn torri allan i ganu.

Daeth Limerick i Lŷn yn fuan wedi terfyn y Rhyfel Byd Cynta', yn ysgolhaig Lladin o un o golegau Rhydychen, ac wedi curadiaeth hir yn un plwy fe'i gosodwyd o'n Berson yn y plwy drws nesa'. Erbyn yr Ail Ryfel roedd o'n gymaint rhan o'r fro â Chlip y Gylfinir, a 'run mor gymeradwy â'r allor hynafol y penliniai o'i blaen yn foreol, weithiau'n simsan ond, gan amla', yn berffaith sobr.

Cytunai pawb yn y fro fod Limerick, ar ei orau, yn glipar o bregethwr ac nad oedd Phillips, y Bedyddiwr, ar yr un cyfandir ag o, heb sôn am fod yn yr un cae. Ystyrid pregethu Phillips, druan, y peth tebycaf posibl i Sul gwag a bod Limerick yn feddw yn gliriach ei feddwl na Phillips wedi iddo yfed dim ond dŵr.

> Goodbye to Piccadilly,
> Farewell to Leicester Square
> There's a long way to Tiperary
> But my heart's right there . . .

Wedi dringo llwybr mul i ben Allt y Crindir, uwchben y pentre, sylwodd y Person ar ddrws Gweithdy Ellis Lloyd y Saer yn cael ei luchio'n agored ac yna'i gau 'run mor sydyn. Pwysodd am eiliad yn erbyn cilbost giât Gwag-y-noe, i sadio 'chydig, gan ddal i syllu i'r un cyfeiriad. Oedd, mi roedd 'na olau yn y Gweithdy. Gollyngodd ei ben i un ochr a gwrando, fel deryn du yn hela pryfed genwair.

''Swn i'n taeru, giât, 'mod i'n clywad rowia' yn rwla. Y?, ac igian.

Cofiodd yn sydyn am yr hanner addewid o ysgwydd mochyn cyn y Sul. Wedi aros eiliad i ailsiartio'i gyfeiriad, cychwynnodd i lawr yr allt, o ffos i ffos, i hawlio'i ddarn o o'r mochyn.

> Pack up your troubles
>   In your old kit-bag
> And smile, smile, smile;
> What's the use of worrying?
> It never was worth while,
> So pack up your troubles
>   In your old kit-bag
> And smile, smile, smile . . .

*   *   *   *

'Be' haru chi'n fforsio drws da oddi ar 'i hinjis ac yn torri'r clo clap a hitha'n ddyddia' o ryfal?' cecrodd y Saer gan dybio mai ymosodiad a fyddai'r amddiffyniad diogelaf.

'Ylwch yma, frawd, ma' gin i bob hawl i luchio drysa' oddi ar 'u hinjis pryd dymuna' i.'

'Be?'

'Ellis Lloyd 'di'ch enw chi 'te?'

'Ia.'

'Frawd, ma' gin y Weinyddiaeth Fwyd le i ama' 'ych bod chi'n lladd moch heb byrmit ac yn 'u hailwerthu nhw wedyn.'

'Lladd moch ddeutsoch chi? 'Sa rwbath yn 'ych pen chi, fasach wedi gweld ers meityn ma' saer coed 'dwi.'

Dechreuodd yr Arolygydd gerdded o gwmpas y Gweithdy â'i ffroenau i fyny, fel rhyw ffured newydd 'i gollwng o sach.

''Choelia' i'n 'y myw na chlywa' i ogla' mochyn.'

'Benji, 'ngwas i, sawl gwaith ma' isio i mi ofyn i ti beidio gollwng gwynt, yn gyhoeddus felly?'

'Ond, Giaffar, 'nes i ddim,' atebodd y prentis yn wyrdd ei ddiniweidrwydd.

'A phaid â f'atab i 'nôl a gin inna' bobol ddiarth.'

Wedi i'r Saer roi winc arno gwelodd Benji i ble roedd Ellis Lloyd yn gyrru a chytunodd i gydweithredu.

'Byta slots i ginio 'nes i, Giaffar.'

'Howld on, frawd, be ydi'r diferion gwaed 'ma?'

'Diferion gwaed ddeutsoch chi? Yn ble gwelwch chi ddiferion gwaed?'

'Wel, yn fa'ma, yn gymysg â'r llwch lli,' ebe'r lordyn.

'O! at y diferion gwaed *yna* 'dach chi'n cyfeirio, Jenkins. Benji ma' gnociodd 'i drwyn yn y feis.'

'Ond, Giaffar, ddaru mi ddim . . .'

Camodd y Saer ymlaen a sodro blaen esgid heolion mawr ar gefn troed esgid llawer sgafnach y llanc o brentis a phwyso.

'Ond ma'r gwaedlin wedi peidio rŵan, 'tydi 'ngwas i?'

'W! Ydi, Giaffar.'

''Wela i,' meddai'r tamaid swyddog, yn bwysigfawr, wedi llyncu'r stori, y bachyn a'r cwbl. 'Ond un gair o rybudd i chi, Mistyr Lloyd, at y dyfodol fel 'tai. Os cawn ni sail i'n hofna', yna mi fydda' i a 'nhebyg yn disgyn arnoch chi fel tunnall o frics.'

*   *   *   *

> *Oh! Mr. Porter*
> *What shall I do?*
> *I d've meant to go to Birmingham*
> *And they've carried me on to Crewe . . .*

Safodd y Person, am ennyd, wrth ddrws y Gweithdy i fedru troi i'r dde heb gael penstandod. Wedi troi i'r dde, rhoddodd gic front i'r drws nes bod hwnnw'n cwynfan agor ar ei un hinj, yna, camodd drwyddo i'r Gweithdy, yn igam-ogam, a landio'n daclus yng nghesail y Saer.

'Lloyd ydi'r moch . . . ?'

Cafodd yntau driniaeth y blaen esgid.

'W! Lloyd y cyth . . .'

'Mistar Limerick, gadwch i mi gyflwyno i chi, Mistar John Jenkins, dyn sy'n chwilio am bobol sy'n lladd moch heb byrmit, ne'n prynu cig y rhai a laddwyd.'

Bu'n ofynnol rhoi Limerick i eistedd am funud neu ddau ar ei ben ôl ar y domen sglodion iddo gael dod dros y sioc. Wedi cael ei wynt ato newidiodd gwch yng nghanol yr afon yn ddeheuig ddigon.

'Gin i ofn i mi ddŵad i fyny Allt y Crindir 'na dipyn yn gyflym, Mistyr m . . . Jenkins.'

Ffroenodd y dyn diarth yr awyr unwaith yn rhagor a 'nabod y nwyon yn syth.

'Mwy o ddŵr ar 'i ben o. Dyna fy nghyngor i ichi, frawd.'

'Mwy o ddŵr? 'Dach chi'n Fethodus' ne' rwbath? Gormod o ddŵr am ben o sy fel ag y ma' hi. 'Tydi'r glastwr gewch chi tua

Glyn-y-weddw ddim gwerth i chi lychu'ch mwstas hefo fo, ond bo' rywun ddim yn lecio peidio, am wn i.'

'Deudwch i mi, frawd, faswn i'n taeru i mi'ch clywad chi'n holi ar 'ych ffordd i mewn am foch?'

Daliodd y Saer ei wynt, a gollyngodd y prentis beth, ond daeth y Person drwy'r bwlch gyda medr ysgolhaig.

'Moch? Na, mynd i holi ro'n i ydi Mochdre'n bell? Nes i'r cyth . . . m . . . Lloyd 'ma sathru ar 'y nhroed i, yn ddamweiniol felly.'

Cododd Jenkins ei glustiau'n y fan.

'Mochdre, frawd? Wel, yn fan honno ma' 'nghartra i. Y . . . pam 'dach chi'n holi?'

'Wel . . . m . . . 'dwi i bregethu 'no ar yr Ŵyl Ddiolchgarwch am y Cynhaeaf.' Ac am unwaith bu addysg Rhydychen yn gymorth i Limerick; daeth allan o le cyfyng.

'Ond, maen nhw 'di ca'l un.'

'M . . . maen nhw'n mynd i ga'l un arall.'

''Run flwyddyn?'

'Wrth ma' 'chydig ddaeth i'r gynta'.'

'Wel mi fydd rhaid i mi drio presenoli fy hun tro nesa'. Gollis inna'r gynta'.'

'Diolch i chi. A thriwch gofio am yr offrwm.'

Wedi cael ei wynt ato cafodd Limerick gyfle i edrych o amgylch y Gweithdy. Crwydrodd ei lygaid pŵl, yma ac acw, nes disgyn ar yr arch gaeëdig. Cafodd beth braw o'i gweld.

'Arch 'di nacw, Lloyd?'

'Ia, Mistar Limerick. Yn anffodus.'

'Ga' i ofyn, Lloyd, pwy sy wedi'n rhagflaenu ni?'

Benji atebodd.

''Do's 'na neb, mewn ffor', wedi . . .'

Sodrwyd cefn troed y prentis am yr eildro ond yn llawer bryntach y tro yma.

'W!'

O gael ei hun mewn congl gyfyng dibynnodd y Saer ar addysg ysgol Mynytho, a disgleirio.

'M . . . hen gydymaith inni, Mistar Limerick, sy wedi croesi.'

'Tewch chitha'.'

'Un o blant y wlad bell a'r ciba'.'

'Felly?'

'Mi gofiwch 'Rhen Grystyn?'

'Y tramp? 'Di o 'rioed 'di marw?'

'Wel, Ficar, go brin y basa' fo mewn arch 'tasa' petha'n wahanol.'

Tynnodd y Person ei het a'i dal hi ar ei frest a rhyw lun o ymgroesi.

'Mi fuo'n mynd adra'n 'y mraich i sawl tro o'r New Inn i gysgu yn stabla'r Ficerdy 'cw. Colli cyfeillion ma' rywun, bellach, nid cydnabod.'

Chwiliodd Jenkins am ei hances boced, rhag ofn i'r awyrgylch deneuo rhagor.

'Y fi, felly, Lloyd, gaiff y fraint o'i gladdu o?'

'Wel . . . y . . . ia, debyg,' heb ddisgwyl y cwestiwn hwn.

''Dach chi ddim wedi gofyn i Robaits y Clochydd agor bedd iddo fo.'

'Y . . . ddim eto, Ficar.'

'Gwela' i o, ylwch, yn y New Inn. Fydd ynta', fel arfar, yn dechra' ar 'i hwyrol lith tua'r saith 'ma. Wps-a-deisi!'

Gydag ymdrech a help y Weinyddiaeth Fwyd, llwyddodd y Person i godi o'r sglodion.

'Gynnoch *chi*, Jenkins, gar ma'n debyg?'

'Austin Big Seven, Ficar.'

'Wel, fasa' hi'n rwbath gynnoch chi roi pàs i mi cyn belled â'r ffynnon?'

'Fydd yn fraint.'

'Ma' hi'n anodd gebyst ca'l petrol heb gwpons.'

''Ddyla' hi fod yn amhosib', frawd.'

''Bryna' inna gropar o rwbath cynnas i chi, i'ch cario chi adra.'

'M . . . ar 'ych ôl chi, Ficar.'

Y peth olaf a glywodd Benji a'r Saer, cyn i John J. Jenkins, *Ministry of Food – Inspector* danio'r car, oedd Limerick yn crwnian canu.

> *It won't be a stylish marriage,*
> *I can't afford a carriage,*
> > *But you'll look sweet,*
> > *Upon the seat,*
> *Of a bicycle made for two.*

★   ★   ★   ★

'Rhen Grystyn a'i ymadawiad disyfyd oedd calon y sgwrs ym mharlwr y New Inn y noson honno a ffermwyr glannau Afon Soch, am unwaith, yn canu'i glodydd o.

'Fydd yn chwith goblyn i ddarn mawr o wlad ar 'i ôl o, ddeuda' i hynna.'

'Un handi efo pladur hogia' — os bydda' fo'n sobor 'te.'

'Ac yn byta, hogia' bach, fel 'tasa' branar arno fo.'

Mynegodd hen lanc Garrag Gam farn wahanol.

'Dipyn yn ddi-hid o'dd o 'te? Fel tin buwch gla'mai, a deud y gwir. Gwelais i o hefo ni acw, yn teneuo rwdins ac yn cysgu'n llofft stabal hefo'r gweision. Yna, ryw bnawn, mi ddiflannodd fel iâr yn mynd i ddodwy a welson ni mohono fo wedyn nes ro'dd hi'n gynhaea' ŷd.'

Fel yr hwyrhâi'r noson a'r diodydd poethion yn peri i'r gwaed redeg yn rhwyddach drwy'r gwythiennau, âi'r sgwrs, hefyd, yn fwy byrlymus.

'O'r Sowth o'dd o'n dŵad?'

'Sowth? Un o sir Fôn o'dd 'Rhen Grystyn. Rywun yn deud bod 'i dad o'n bregethwr Sasiwn.'

'Maen nhw'n deud i mi, ond leciwn i ddim i chi feddwl ma' fi sy'n deud, ma' fo ydi tad un o blant Meri Lisi.'

'Pwy? Y 'gethwr Sasiwn 'ma?'

'Brenin y bratia', nagi. 'Rhen Grystyn 'te.'

'O! Deud ti.'

Wedi setlo cwestiwn tadolaeth un o amryw blant gori allan Meri Lisi, penderfynodd 'Rhen Gowmon, fel y'i gelwid o, rannu rhai o'i atgofion.

'Yn y blynyddodd cynnar mi fydda'n gwerthu rhyw eli diguro at wella drywingod ar warthaig. Welis i o'n 'i gymysgu o'n stabal Bodnitho tua diwadd Rhyfal Gynta'. Chwartar o fenyn gwyrdd a chwartar o fflŵar brwmstan a'u berwi nhw mewn peint o gwrw. Ond mi fydda' 'Rhen Grystyn, fel rheol, 'di yfad hannar y cwrw cyn rhoi'r sosban ar tân ac mi fydda'r gymysgfa'n berwi'n sych wedyn cyn bod o'n hannar barod.'

Roedd gan amryw o'r cwmni atgofion cyffelyb.

'O'dd o'n ddiguro at drywingod 'te.'

'Ac mi fydda'n chwythu ar yr eryr, hefyd.'

'I ladd 'i ffyrnigrwydd o 'te.'

'Ond lads bach, o'dd yr ogla' fydda' ar wynt 'Rhen Grystyn yn ddigon i ladd rwbath. Glywsoch chi o rywdro?'

'O'dd o'n ddigon i daro dyn i lawr.'

'Ond sôn am ganwr swît, hogia'.'

*   *   *   *

Roedd y sgwrs yn y Gweithdy, rhwng y Saer a'i brentis, wythfed yn is ac yn y mesur lleddf yn gyfan gwbl.

''Dach chi 'rioed yn mynd i gladdu mochyn da, Giaffar?'

'Wel be arall 'na i? Gin i ofn, 'ngwas i, 'mod i wedi llosgi 'mysadd efo'r mochyn yma.'

'Do, beryg'.'

'Unwaith bydd y Person felltith 'na wedi glychu rhagor ar 'i big yn y New Inn ac ordro torri bedd, mi fydd raid i mi drefnu ryw fath o gnebrwn' i daflu llwch i lygad pobol.'

'Pam, Giaffar, na chladdwch chi'r arch heb y porc?'

'Claddu arch wag?'

'Rhoi cerrig i mewn yn'i hi 'te. Ew, dyna 'sa'n gweithio.'

'Gormod o risg, 'ngwas i. Mi ellith rywun 'y ngorfodi i agor y

98

caead, iddyn nhw ga'l cip ar yr ymadawedig. 'Ti'n gweld, clap, ma' hi'n bosib' g'neud mochyn yn debyg i rywun ond fedri di 'neud dim byd hefo carrag.'

'Argol, 'dach chi'n fwy o sgolar nag o'n i'n feddwl, Giaffar.'

'Pawb yn deud 'mod i 'di codi'n fora 'te,' meddai'r Saer, yn falch o'r sebon.

'Preifat fydd o, Giaffar?'

'Y cnebrwn' felly?'

'Ia.'

'Mor breifat ag y bydd modd, 'te 'ngwas i. 'Nei di, Benjamin, fod yn un o'r rheini fydd yn cario?'

'Ew! 'Swn i wrth 'y modd, ia.'

'Diolch i ti.'

'Giaffar, fydd isio i mi wisgo tei ddu?'

'Fydd well i ti drio gneud, clap.'

'Ga'i fenthyg un gin Taid, ylwch. Gynno fo ddwy. Achos mae o 'di claddu dwy wraig.'

'Fyddi di a finna' a . . . a dy fam, a Phillips y Gw'nidog, ar un wedd, ymhlith y rhai a gafodd y golled fwya'.'

★   ★   ★   ★

Yng ngwres y sgwrsio ac yng ngrym y diodydd a brynai'r Person iddo dros gownter y New Inn, toddodd John J. Jenkins, *Ministry of Food – Inspector* i fod yn un o'r bobl addfwynaf o dan haul y greadigaeth. Cymerodd at y Person a'r diodydd fel cath at lefrith; cyn diwedd y noson aeth yn frac ei dafod ac yn esgeulus o'i alwedigaeth. Prynodd goes las buwch a fu farw'n ddamweiniol, ac a fwtsierwyd heb drwydded, yn ogystal â dwsin o wyau a deubwys o fenyn, a dechreuodd rannu cwpons petrol coch i hwn ac arall fel petaen nhw'n gonffeti.

Fel roedd y New Inn yn hwylio i gau'r drysau am noson arall aed i sôn am 'Rhen Grystyn fel baledwr, â'r cwrw yn siarad. Pawb â'i bwt oedd hi.

'Llais fel creisiwr penwaig o'dd gin 'rhen dlawd.'

'Ond fydda'n meddalu cryn dipyn unwaith y bydda' 'Rhen Grystyn 'di ca'l oel.'

'Lle dysgodd o'r holl faledi 'ma ar 'i go', dyn a ŵyr.'

'O, wrth drampio o lofft stabal i lofft stabal i chwilio am gardod.'

'Unwaith bydda' fo 'di ca'l glo ar tân, fydda'n rilio'r penillion 'ma allan a'i ddau lygad o wedi'u cau'n sownd.'

'Rhaid bod gynno fo go' fel parot.'

'Diawl,' ebe hen lanc Garreg Gam, â'r cwrw wedi mynd i siarad, 'nid fo fydda'n canu'r faled honno i hwsmon Tal-y-sarn 'stalwm?'

''Rhen Ifan Emwnt,' eglurodd un o'r cwmni.

'Ia'n tad, fo fydda'n 'i chanu hi.'

'Gwaith 'rhen Dincar Dima,' medda' rywun.'

'Sut o'dd hi'n mynd hefyd?'

'Diawl, 'dach chi'n 'i gwbod hi, Ficar,' cymhellodd hwsmon Neigwl Ucha'. Porthwyd y sylw gan amryw.

'Canwch chi hi inni, Mistar Limerick.'

'Tân 'dani rŵan, cyn bydd hi'n stop tap arno' ni.'

'Cymon, Ficar.'

Ymdrechodd y Person i sefyll ar ei draed ond yr oedd mor flêr yn gwneud hynny â buwch gyflo'n codi yn ei stôl. Fel brawd iddo yn y ffydd, aeth y clochydd i'w gynorthwyo.

'Ylwch, 'neith y dyn diarth 'ma a finna' sefyll o bobtu i chi, i chi ga'l canu'n iawn. Ust rŵan, hogia'. Perffaith wrandawiad i'r Person.'

Heb weld llawer, ond mewn tenor hyfryd, canodd y Parchedig L. M. S. Limerick faled ddigon maswedd a selogion y New Inn yn uno yn y byrdwn.

> Yn Nhal-y-sarn erstalwm
>   Roedd morwyn lân fel dol,
> Yn caru hefo'r hwsmon
>   Ar waelod trwmbal trol;

Ac meddai'r forwyn honno,
    Gan swsian ar yn ail,
O! Ifan Emwnt annwyl
    Mi glywaf ogla' tail.

Mi glywaf ogla' tail,
Mi glywaf ogla' tail,
O! Ifan Emwnt annwyl,
Mi glywaf ogla' tail.

Mi glywaf ogla' tail,
Mi . . .

Yn anffodus, cyn i'r cwmni gael cydio yn y byrdwn am yr eildro, lloriwyd y Person â slap o dan gliced ei ên a suddodd yn ôl i'r setl. Roedd yno ddeunaw stôn o hwsmon arall, a fu'n gweini yn Nhal-y-sarn, a chanddo deimladau cynnes at yr un forwyn.

Ar ei hyd ar sedd gefn Austin Big Seven y Weinyddiaeth Fwyd yr aeth Limerick y Person yn ôl i hedd y Ficerdy y noson honno.

                   ★   ★   ★   ★

Bu angladd 'Rhen Grystyn, fel y tybiai'r mwyafrif, yn un hynod boblogaidd er mai bwriad Ellis Lloyd oedd cynhebrwng cwbl breifat. Daeth galarwyr yno o bob cyfeiriad nes bod y fynwent mor ddu â phetai yna haid o drwdwns wedi disgyn ar y lle, a hynny ymhell cyn amser dechrau. Poblogrwydd 'Rhen Grystyn, serch ei frychni, oedd un atyniad ond bu'r nodyn a ymddangosodd yn y papur lleol cyn y cynhebrwng a'r cyfeiriad at ddamwain y Person yn gymorth i chwyddo'r gynulleidfa.

Wedi'r coffáu anffurfiol yn nhafarn y New Inn aeth Morris Williams, Llenorfa, yn syth at y papur a'r inc a sgwennu pwt canmoliaethus yn ei golofn 'O Borth Neigwl i Ben y Garn' o dan y pennawd 'Colled Gyffredinol'.

Gyda gofid yr hysbyswn yr wythnos hon am farwolaeth ddisymwth Mr. Emwnt Jones, un o'r cardotwyr a ddeuai ar ei dro atom i Lŷn ac i'r plwyf hwn. Yr oedd ein hymadawedig frawd yn fwy adnabyddus yn ein plith wrth yr enw Yr Hen Grystyn oherwydd ei hoffter o'r danteithfwyd hwnnw. Hanai ein diweddar gyfaill o Fôn, fel y tybir, o ba le y daw cynifer o gardotwyr. Ystyrid Mr. Emwnt Jones yn weithiwr difefl ac yr oedd yn feddiannol ar feddyginiaeth anffaeledig at y ddarwden (ringworm) yn ogystal â'r eryr poenus. Meddai ein brawd, hefyd, ar lais canu a thrysorodd ar ei gof rai o'n cerddi gwerin. Daeërir y gweddillion ym mynwent y plwyf hwn brynhawn Iau nesaf, oddeutu dau o'r gloch, pryd y disgwylir y Parchedig L. M. S. Limerick — a gafodd ddamwain yn ddiweddar — i ymgymeryd â'r gwasanaeth. (Eiddunwn iddo yntau wellhad llwyr a buan.) Bydd chwithdod cyffredinol am bresenoldeb Emwnt Jones, sef Yr Hen Grystyn, a ymddangosai mor annisgwyl yn ein plith.

*   *   *   *

'Mymryn mwy o slac, 'ngwas i, 'cofn iddo fo fynd i mewn â'i ben yn gynta'.'

'Iawn, Giaffar.'

'Reit.'

'Ma' hi bron â chrafu'r gwaelod.'

Cododd Ellis Lloyd ei ben i gael cip ar y galarwyr; dyna pryd y gwelodd o'r ddrychiolaeth. Daearwyd y mochyn gyda jyrc.

Yn sefyll yn giât y fynwent, fel pe byddai rhyw ffliwt hud wedi'i alw i'w arwyl ei hun, safai 'Rhen Grystyn, y sach arferol dros ei war, pwn yn sownd wrth bastwn dros ei ysgwydd a'r cadach coch, am ei wddf. Arhosodd yno, am eiliad, yn bwrw trem dros y gynulleidfa, fel pe byddai o'n brasgyfri faint o'i hen gymdeithion a ddaeth yno i dalu iddo'r gymwynas olaf un. Yna, diflannodd o'r adwy mor annisgwyl ag yr ymddangosodd heb i neb ei weld o ond y Saer.

Hwyrach mai un o'r ardalwyr a wnaeth y sylw craffaf, ond yn gwbl anfwriadol. Roedd dau ohonyn nhw ar eu ffordd o fynwent yr Eglwys i'r New Inn i fwynhau Te Cnebrwn' ar gostau'r Plwy.

'Ti'n coelio, Ifan, bod moch yn gweld gwynt?'

'Felly clywis i ddeud.'

''Swn i'n taeru bod 'rhen Ellis 'di gweld peth pnawn 'ma. Welis ti o'n gollwng 'rarch 'na drwy'i ddwylo, fel 'tai o 'di cydio mewn procar poeth?'

Yr hyn sy'n rhyfeddol ydi na welwyd 'Rhen Grystyn gan neb byth ar ôl yr angladd annisgwyl hwnnw yn niwedd mis Tachwedd 1943.

Rhwng Piahiroth a Southport

'O! ia. M . . . mi rydan ni, un ac oll, yn falch ryfeddol o weld Mr. Ifan Ifans, Ifan Paraffîn felly, wedi troi aton ni i'r gorlan.'

Sgriwiodd y Paraffîn ei ben ôl i'r sedd galed mewn ffit o gynddaredd gwynias wrth glywed hen lanc Barrach Bella', Obadeia Gruffydd, yn ei lysenwi fel hyn o seintwar y sêt fawr, ond llwyddodd i ddal i wenu'n annwyl ar yr ychydig blant a oedd wedi troi yn eu seddau ac yn rhythu arno dros gefngor y seti blaen. Aeth Obadeia Gruffydd ymlaen â'i groeso.

'Ma' gin i, fel amryw ohonoch chi, go' byw iawn am 'i nain o, 'rhen Leusa'r gannwyll fel bydda' ni'n 'i galw hi. Ro'dd *hi* yn selog iawn hefo'r achos. Gwerthu c'nwylla' bydda' 'rhen dlawd, fel ma' rhai ohonon ni'n cofio, a rheini'n poeri wrth fflamio ac yn diffodd cyn 'u bod nhw wedi hannar darfod. Wel, fel deudis i, mi rydan ni'n falch iawn o weld Ifan yn ein plith ni, wel . . . y . . . mor annisgwyl.'

Un o'r cyffroadau mwya' ym mhlwy Llanengan ar derfyn Rhyfel 1939-45 — ar wahân i'r *V-Day* hirddisgwyliedig — oedd ymddangosiad Ifan Paraffîn yn Ysgol Sul Pihahiroth, Capel y Bedyddwyr, un pnawn braf yn nechrau Gorffennaf.

*　　*　　*　　*

Y pnawn Sul hwnnw eisteddai un o Fedyddwyr tanbeitiaf y plwy, Ann Jones, 6 Mynwent Teras, ar gaead yr hocsiad ddŵr yn yr ardd gefn yn sgwrsio â'i chymdoges ac yn gwylio'r ffordd fawr 'run pryd.

'Mae o'n halan ar 'y nghroen i, Nel, i weld cyn lleiad yn mynychu'r Ysgol Sul.'

''Swn i'n meddwl wir. Be ddaw o'r oes 'ma, Ann Jones?'

'Biti i'r rhyfal 'ma ddŵad i ben, ddeuda' i, ac inni ga'l ein gorfodi i anfon y faciwîs adra. Pan . . .', a thewi. Craffodd drwy'r brwgais i gyfeiriad y ffordd.

'Wel, 'tawn i'n marw'r funud 'ma, sbïa, Nel.'

'Be?'

''Rhen Ifan Paraffîn yn mynd am yr Ysgol Sul.'

''Rioed.'

'Cyn wiriad â 'mod i â 'mhen ôl ar yr hocsiad ddŵr 'ma. Drycha.'

'Ella ma' ar ryw gymowt arall mae o.'

'Ble arall basa'r arab yn mynd, ar bnawn Sul, yn siwt di-mob 'i frawd ynghyfra'th? 'Sna ddim priodas, a 'tydi hi ddim yn fownti cŵn.'

Dynesodd Nel ar flaen troed at glawdd yr ardd a sbecian.

'Wel ydi, 'tawn i'n llwgu. 'Rhen gena' iddo fo.'

Sylwodd Ann Jones ar un o amryw blant y tŷ pen yn cychwyn am yr un Ysgol Sul, yn hwyr, a sibrwd gweiddi arni. 'Jini, 'mechan i, 'nei di gymwynas i hen wraig?'

Daeth y fechan at y giât bren a sefyll yno ar untroed, yn oediog.

'Rhed nerth dy garna' i ddeud wrth Obadeia Gruffydd, Barrach Bella', bod Jentylman y Paraffîn yn dŵad i'r Ysgol Sul ac iddo fo beidio â styrbio.'

''Na i, Miss Jones.'

'Ac yli, dyma i ti fotwm gwyn gin Nel Nymbar Sigs a finna'. I ti ga'l rwbath i' 'neud pan fydd pawb arall yn gweddïo.'

'Thenciw, Miss Jones,' diflannu fel ergyd o wn, yn falch o'r rhodd a'r cyfrifoldeb.

'Syniad da, Ann Jones.'

'Ofn o'dd gin i, hogan, i'r hen Barrach ga'l y fath sioc o'i weld o ac iddi fynd yn redag arno fo, a fynta'n y sêt fawr.'

'Batus 'di Ifan?'

'Batus 'di 'i fam o 'te? Ond bod hi heb 'i bedyddio.'

Hen ŵr Bryniau Rhedyn, Huw Willias, a alwyd i ddechrau'r Ysgol. Bu'n hir weddïo a hynny i gyfeiliant y fechan o dŷ pen Mynwent Teras yn sipian y botwm gwyn a roddwyd iddi at yr achlysur. Wedi i Huw Willias atgoffa'r Hollalluog am bawb oedd 'mewn peryg' ar dir, ar fôr ac yn yr awyr' daeth â'i weddi i ben gan ofyn am faddeuant am bob anghofrwydd o'i eiddo.

'Dyna ni, mi awn ni i'n dosbarthiada' rŵan. A diolch i Huw Williams am ein harwain ni . . . Y . . . Ifan Ifans, ella basa'n well i chi fynd i ddosbarth y bobl mewn oed.'

'Thenciw, Obadeia Gruffydd.'

Cododd blewyn o brotest o'r dosbarth hwnnw.

'Ydi o'n ddigon hen i gwali-ffeio? Dyna'r cwestiwn mawr,'

'Di o'n gw'bod rwbath am y Maes?' 'Fasa' dim gwell i chi'i 'neud o'n athro a'i roi o i ofalu am y plant lleia'?' awgrymodd un arall. 'Ma'r Ysgol Sul yn ddigon prin o athrawon wrth bod hi'n dal yn gynhaea' gwair.'

Yn ffodus, roedd lles ysbrydol y plant yn nes i galon yr Arolygwr na nifer yr athrawon a phenderfynodd ymyrryd. 'Fuo' Ifan Ifans ddim hefo ni o'r blaen er canol y tridega'. 'Dwi'n barnu y bydda'n well iddo fo fynd at yr oedolion i ddechra', iddo fo ga'l dipyn o wrtaith. Fedrwch chi ddim ca'l athro ar blant sy'n gwbod llai na'r plant mae o'n 'u dysgu.'

Llyfr Exodus, o'r Hen Destament, oedd maes trafod y dosbarth y tymor hwnnw a'r Parchedig Harold Phillips, y Gweinidog, yn athro arno. Un tal, main, esgyrnog â llygaid milain ganddo oedd Phillips. Fe'i hystyrid yn gryfach mewn llys barn yn gwarchod moesau'r ardal nag yn pregethu maddeuant o'r pulpud. 'Runig wendid yn arfogaeth Phillips oedd ei wraig, Edwina Phillips. Yn ystod blynyddoedd tywyll y rhyfel gwelid aerwyon o fwg glo naturiol yn codi o amryw gyrn y Mans tra oedd gweddill y pentrefwyr yn megino coed gwlybion a joch o baraffîn mewn un grât â'r hyrddiau o fwg du a godai uwch y fro yn brawf o hynny. Barn pobl y goets fawr oedd bod y dyn glo, nid yn unig yn twymo gratiau'r Mans ond yn cynhesu calon Mrs. Phillips 'run pryd; bu hithau mor feiddgar â galw un o'i chathod yn Parddu a hynny yn ychwanegu at y siarad.

'Heddi 'ni am gwpla'r bedwaredd bennod ar ddeg o Lyfr Exodus — hanes yr Israeliaid yn myn' gro's i'r Môr Coch.'

Un o Flaenau Ffestiniog oedd Phillips ac roedd hi'n ddirgelwch mawr i frodorion Pen Llŷn sut roedd dafad fynydd, felly, yn siarad mor annaturiol ddeheuol.

"Nawr, gwedwch wrtho i, pam bo'r Israeliaid hyn wedi gallu croesi'r Môr Coch a'r Eifftiaid wedi sinco? 'Na'r cwestiwn mowr.'

'Gwahania'th yn y mashîns,' atebodd Ifan.

Anwybyddodd Phillips y sylw; 'doedd ganddo fawr o gariad at y Paraffîn oherwydd anffyddlondeb y teulu a llai fyth wedi'r ddamwain i'w dŷ gwydr o du'r Hôm-gard.

'*A 'r dyfroedd a orchuddiasant gerbydau byddin Pharo;* 'na sy'n ca'l 'i 'weud man hyn.'

'Gwahania'th yn y teip o fashîns,' ebe Ifan drachefn.

'Pardwn?'

"Dach chi'n gweld, Phillips, o'dd gin yr Israeliad 'ma fashîns gwahanol.'

'O? Gwedwch chi, frawd,' ond yn gwbl anghrediniol.

'Glywsoch am yr amffibians, yn do Phillips?' a siarad mor hy â'r Gweinidog â phetai'r ddau ohonyn nhw wedi bod yn sugno'r un deth.

'Alla' i ddim â gweud fy mod i, frawd.'

'Glywsoch am y rheini, debyg, Mistar Phillips?' ebe hen ferch Cil Haul, yn geryddgar braidd. 'Dyna enw un o dri llwyth ar ddeg Meibion Israel.'

Poerodd y Paraffîn ei ddiflastod o wrando'r fath anwybodaeth i gyfeiriad y stôl droed yng nghornel y sêt a throi at y Gweinidog.

''Rachlod fawr, be 'dach chi'n ddysgu i'r dosbarth 'ma, Phillips bach? Sut i chwara' tidli wings?'

Gwthiodd ei hun yn ôl i gornel y sêt gan roi 'i freichiau dros y ddau gefn sêt a dechrau egluro'n hamddenol.

'Enw ar fashîn ydi amffibian.'

Nodiodd amryw eu cadarnhäd fel pe bai hynny y peth cynta' ddysgon nhw erioed.

'Mi gofiwch, Phillips, y 'Merican Duck hwnnw o'dd ffor' 'ma adag rhyfal?'

'Wel y sglyfa'th hwnnw a'th dros 'y nghlagwydd i,' ebe Dwalad Felin Eithin — un garw am ei geiniog — 'a ches i, hyd yn hyn, mo'n nigolledu, er 'mod i'n dal i gorispondio hefo'r Swyddfa Ryfal.'

Anwybyddodd Ifan Paraffîn y sylw a dal i frwela siarad.

'Wel, ma' mashîn felly yn medru mynd ar y tir ac ar y dŵr. I atab 'ych cwestiwn chi, 'te Phillips, peirianna' felly o'dd gin yr Israeliad, 'dach chi'n gweld, a dyna sut y croeson nhw. Trystiwch chi Jiw bob amsar i gadw 'i sana'n sych.'

Rhyfeddodd y dosbarth cyfan at wybodaeth eang a chyfoes Ifan Paraffîn ac ymddiddori mwy, y pnawn hwnnw, mewn peirianneg na gwybodaeth Feiblaidd. Ceisiodd Phillips ddod â'r cwch yn ôl i dir, sawl tro, ond yn aflwyddiannus.

'Ond gweud ma'r llyfr hyn taw gwynt cryf o'r dwyrain . . .'

Sathrodd y Paraffîn sylw'r Gweinidog ar hanner brawddeg. 'Lol-mi-lol ydi stwnsh fel'na. Coel gwrach, Phillips. 'Dydi blewyn o wynt, o ble bynnag bydd o'n codi, yn harm yn y byd i amffibian. Gwahania'th yn y mashîns, dyna o'dd o, Phillips.'

'Chi ario'd yn gweud, frawd.'

Oni bai i'r Arolygwr ganu'r gloch fymryn yn gynamserol, mae hi'n ddiau y byddai Phillips wedi'i broselytio ymhellach a thyfu, fwy fwy, i fod yn un o ddisgyblion Ifan Paraffîn a damcaniaeth yr amffibian.

*   *   *   *

'Maddeuwch i mi, gyfeillion,' ebe Obadeia Gruffydd, 'am dorri'r Ysgol yn 'i blas ond ma' 'na un matar y bydd hi'n ofynnol i ni benderfynu arno fo cyn chwalu. Matar trip yr Ysgol Sul.'

Gloywodd y rhesi plant, yn ddannedd i gyd, ac ymddiddori'n fawr yn y drafodaeth.

'Mi gytunon ni, un ac oll, wsnos yn ôl, i ailadfar trip yr Ysgol Sul gan bod y rhyfal, erbyn hyn, wedi mynd â'i phen iddi ac mi gytunon ni, yn ogystal, i roi infeit i'r 'glwyswrs sy yn y pentra 'ma i ddŵad hefo ni. Y mater gerbron heddiw 'ma ydi ble, pryd a sut? . . . Dowch yn rhydd, gyfeillion, i ni ga'l mynd adra i odro.'

Fel roedd selogion Pihahiroth yn rhoi'u cefnau i bwyso'n ôl yn eu seddau, ar gyfer y tawedogrwydd arferol ar adegau o'r fath, sobreiddiwyd pawb gan lais Ifan Paraffîn.

'Cynnig bod ni'n mynd i Southport, Sadwrn wedi'r nesa','

'Y?' ac agorodd gŵr Barrach Bella' ei geg mewn rhyfeddod.

'Gwell lle na'r Rhyl. Digon o feri-go-rownds a bellu.'

Cododd bonllef o gefnogaeth, ond o du'r plant yn unig.

'A 'wy' inne'n cynnig ein bo' ni myn' sha'r Bala, i weld bedd Thomas Charles.'

Cododd bonllef eto, o'r un cyfeiriad, ond un o anghymera-dwyaeth y tro hwn â hogyn ieuenga' Phillips, Stanley, yn arwain y gwrthryfel.

'Lle anfoesol yw Southport, w. 'Smo ni'n moyn i'n plant fynd i gwrdd â themtasiyne cyn pryd, odyn ni?'

'Ydan,' sibrydodd hogyn ieuenga' Phillips yn uchel ond yn rhy isel i'w dad ei glywed o.

'Fuoch *chi* yno 'rioed?' holodd y Paraffîn yn chwyrn.

'Pardwn, frawd?'

'Fuoch chi, Phillips, yn y Southport 'na 'rioed?'

'Alla' i ddim â gweud 'mod i. Ond . . . y . . .'

'Mi rydw' i wedi bod ylwch. Ac mae o'r lle bach duwiola' welsoch chi, ac eithrio bod yno dipyn o ryw geriach at ddiddori plant. 'I gynnig o *eto*, Obadeia Gruffydd.'

'Wel, o's 'na rywun yn rwla am eilio cynnig Ifan Ifans, Ifan Paraffîn felly?'

Eiliwyd y cynnig yn frwd ac uchel. Pan roddwyd gwelliant y Gweinidog i fyny, bu mudandod hir.

'Wel, ma' hi'n amlwg nad oes eilydd . . .,' ond yr eiliad honno cydiodd Huw Willias, Bryniau Rhedyn, yng nghefn y sedd o'i flaen a llusgo'i hun ar ei draed, 'Rhag bod yn anufudd, ac er mwyn profi'r cyfarfod, mi eilia' i gynnig ein parchus Weinidog. 'Sa waeth gin i weld bedd 'rhen Domos Charles 'run blewyn.'

'Mi rown ni'r gwelliant i fyny'n gynta'.'

'M . . . dau yn unig. A phawb sy dros y Southport 'ma?'

Cododd fforest o freichiau yng nghefn y capel a phlant y seddau blaen, oedd heb hawl i bleidleisio, wedi codi ar eu traed.

'Dyna fo, 'dwi'n meddwl bod cynnig Ifan Ifans wedi cario. Sôn am gario, 'sgin rywun syniad am dransport?'

Dyna'r foment y syrthiodd y geiniog i amryw.

'Cynnig ein bod ni'n gofyn i Mistar Ifan Ifans fynd â ni yn 'i fỳs,' meddai hogyn i chwaer y Paraffîn.

'Eilio'r cynnig yna,' ebe mab Tu Hwnt i'r Gors, un arall o'i berthnasau, ond o ochr ei dad y tro hwn.

'Wel, ma' gin i fỳs bach handi ddigon, a 'dwi newydd roi *big-end* newydd yn'i hi. Mi fedrwn i fynd â chi cyn bellad, os 'dach chi'n pwyso arna' i.'

'Trystio teulu'r Gannwyll i droi pob dŵr i'w melin 'u hunain,' sgyrnygodd Huw Willias, Bryniau Rhedyn dan ei wynt, yn dal yn flin am fod cynnig Phillips ac yntau wedi mynd i'r gwellt.

Daliwyd Obadeia Gruffydd, yr Arolygwr, mewn deufor-gyfarfod ond daeth drwy swnt peryglus yn ddeheuig ddigon.

'Fedrwn ni ddim llai na gofyn i Ifan 'ma . . .'

'Thenciw.'

'A fynta' newydd ymuno â'n rhengoedd ni. Dyna ni 'ta. Pawb sy' mewn hwyl i fynd i roi 'i enw yn Siop-y-Post o hyn i'r Sul. Diolch i chi . . . y . . . Pwy gawn ni i'n diweddu ni'r pnawn 'ma?'

Dyna'r foment y temtiwyd Phillips y Gweinidog i dalu drwg am ddrwg i'w gymydog. Llefarodd yn hamddenol.

''Wy'n teimlo taw gofyn i'r brawd Ifan Ifans, man hyn, a fydde'n briodol. Fel gwedws yr Arolygwr, ma' fe'n lais newy' yn ein plith . . . Ie, gofynnwch iddo fe.'

Gweddi Ifan Paraffîn i gloi'r Ysgol Sul, y pnawn hwnnw o Orffennaf 1945, oedd y peth rhyfeddaf erioed a glywyd oddi mewn i furiau Pihahiroth. Wedi cryn boeri brawddegau, daeth â'r cwch yn derfynol i dir drwy ddiolch am 'amffibians yr Israeliaid' a gofyn i'r Hollalluog 'fod mor garedig â boddi pawb' a gredai'n wahanol iddo.

A sioc, nid bychan, i Ann Jones Mynwent Terras, a ddaliai i eistedd ar gaead yr hocsiad, ac i Nel, ei chymdoges, oedd gweld Ifan Ifans Paraffîn yn dychwelyd o'r Ysgol Sul â holl blant Pihahiroth yn dawnsio, fel llygod Hamelin gynt, o bobtu i'w 'sgidiau a hogyn ieuenga' Phillips yn eu harwain.

*   *   *   *

'Boats for 'ire! Thrupence for 'alf an hour. Two in a boat – fourpence 'apenny . . . Boats for 'ire!'

Cyrhaeddodd Ifan Paraffîn a Phillips at y llyn cychod gyferbyn â'r maes parcio cyn yr amser penodedig — y naill yn ymboeni am y bỳs a'r llall yn pryderu am ei wraig. Bu'r siwrnai o Ben Llŷn i Southport bell yn un gwbl ddidramgwydd â'r bỳs, ar bwys y '*big-end* newydd', chwedl Ifan, yn tuchan yn iach i fyny'r gelltydd ac yn grwnan yn hyfryd dros bob gwastad. O fod wedi cychwyn cyn codi cŵn Caer, cyrhaeddwyd pen y daith erbyn canol dydd a gwasgarodd y gwibdeithwyr yn ôl eu ffansi, a'r plant yn rhuthro'n boeth eu ceiniogau i weld y 'meri-go-rownds a bellu' y soniodd y Paraffîn amdanynt.

Treuliodd Harold Phillips y pnawn yn eistedd ar wal capel Batus y daeth o hyd iddo, yn un o strydoedd cefn y dre, yn llymeitian te o fflasg-i-un ac yn dychmygu'i hun yn swyno'r tyrfaoedd o bulpud y capel hwnnw.

Aeth Huw Williams, Bryniau Rhedyn i flewyn o brofedig-aeth, yn anfwriadol felly; camodd merch ifanc, sionc ei sgwrs, i'w lwybr fel roedd o'n bustachu'i ffordd yn llesg ar hyd un o'r strydoedd cefn a'i gymell i'w thŷ am gwpaned. Nid cyn i'r ferch ifanc egluro i Huw mai yn llofft y tŷ y paratoid y te hwnnw y sylweddolodd o nad oedd hi'n un o blant yr Ysgol Sabothol. Camodd allan dros drothwy'r tŷ, yn fyr ei wynt, er mawr ddifyrrwch i griw o lanciau gweld-o-bell a safai ar y palmant gyferbyn, â'u profiadau yn y fyddin wedi llacio llawer ar eu moesau.

''Dach chi 'di anghofio'ch het, Huw Willias,' er bod honno'n fflat ar ei ben o.

'Y?'

'Be o'dd hi, Huw Willias? Annibyn-raig?'

Prysurodd yr hen ŵr yn ei flaen yn fawr ei gywilydd.

Ar y llaw arall, cafodd gwraig Phillips, Edwina, bnawn digon gwrthgyferbyniol. Fe'i perswadiwyd gan y dyn glo hwnnw — a ddaeth ar y trip, medda' fo, er mwyn cyfannu'r llwyth — i roi help llaw iddo i chwilio am ddillad-isa'-gaea', heb gwpons. Bu'r ddau'n swmera o siop i siop a bob hyn a hyn yn pwnio'i gilydd yn ddrygionllyd, awgrymog ond heb brynu cnegwarth yn y diwedd.

Wedi gwario'r ffyrling brin, olaf yn y cae meri-go-rownds, aeth rhai o blant tlawd Mynwent Terras ac ifaciwi oedd wedi gwrthod dychwelyd i Birmingham i barc yn y dre lle roedd gŵr yn arddangos eryr yn clwydo ar bolyn. Mewn ffit o ddireidi aeth y cybiau o'r tu cefn i'r dyn a datod y llinyn oedd yn clymu'r deryn wrth y stanc. O deimlo'r cortyn yn colli'i densiwn, ac mewn awydd i adfeddiannu'r rhyddid a gollodd, dyrchafodd yr eryr yn osgeiddig i entrych nen. Diflannodd y plant, nerth eu traed, i chwilio am ddiogelwch y bỳs ond gan daflu ambell gip, drach eu cefnau, i weld y dyn yn ysgwyd darn o gig amrwd i gyfeiriad yr eryr ag un llaw, ac yn ysgwyd dwrn bygythiol i'w cyfeiriad hwythau â'r llaw arall.

Ond erbyn hyn roedd gweddill y teithwyr, rhai'n hynod o lwythog, yn dilyn y plant i gyfeiriad y llyn a'r maes parcio.

'Boats for 'ire! Thrupence only for 'alf an 'our. Two men in a boat fourpence 'apenny . . . Boats for . . . 'Ey! 'Ow about you, sir? Take ye'r mate 'ere to the water. Be a devil.'

'Be amdani, Phillips? 'Dach chi'n gêm?'

'Odi fe'n amffibian?' yn dal i gofio'r anfri a ddioddefodd yn yr Ysgol Sul bythefnos ynghynt.

''Ddalith ddŵr yn siŵr i chi, fel 'run pen ôl chwadan.'

''Wy'n gweld.'

''Dala' i y dair ceiniog, os ca'i gydio'n y rhwyfa'. Gewch chi fforcio'r gweddill wrth bo' chi'n ca'l pàs hefo mi.'

'Diolch, frawd.'

'Boat for two, please?'

''Ere ye are, mate. Jump in, both of ye.'

Camodd y ddau yn betrusgar i'r cwch.

'Which one of ye is going to row?'

'I am,' ac wrth Phillips, 'wrth 'mod i'n medru dreifio bỳs te.'

''And 'im the oars, 'Arry,' ebe'r Sais wrth lanc bychan a safai ar fin y dŵr. Gwnaeth hwnnw gamgymeriad a chael ei gywiro.

'The blind one,' — am fod gan Ifan sbectol — *'not the kiss of death,'* am Phillips.

Un symol am yrru bỳs oedd Ifan Paraffîn ond roedd o'n rwyfwr canmil salach na hynny. Sgubwyd y ddau tuag at ganol y llyn gan awel lem a chwythai o gyfeiriad y lan ac fe'u dilynwyd gan haid o hwyaid a ddisgwyliai i'r ddau eu peltio â bara fel gwnâi cychwyr yn arferol, ond roedd hi'n ddigon o waith i Phillips a'r Paraffîn ofalu am wastadrwydd y cwch heb ystyried bwydo adar yn ogystal. Un peth oedd mynd allan hefo'r gwynt ond tasg gwbl wahanol oedd troi'r cwch a rhwyfo at yn ôl.

'Cystal bo' ni'n dychwelyd i'r lan 'nawr, frawd, rhag ofan i'r bws fynd gatre o'n bla'n ni.'

'Sut gythra'l yr eith y bỳs adra a finna' ar 'y nhin fa'ma?' holodd Ifan yn flin.

'Iaith, frawd.'

'Meindiwch 'ych busnas.'

''Run peth i chithe, frawd.'

Wrth weld y dyfroedd yn berwi'n fygythiol amgylch-ogylch y cwch, diflannodd yr hwyaid i gyfeiriad y lan arall, yn padlo'u gorau, rhag ofn iddynt gael eu boddi.

'Chi'n waelach rhwyfwr nag 'ych chi o aelod eglwysig. A ma' 'na'n gweud rwbeth.'

'Well i chi roi caead ar 'ch hopran, Phillips, cyn i mi'ch bedyddio chi yr eildro.'

Erbyn hyn roedd y gwibdeithwyr wedi dychwelyd i'r man cyfarfod ac yn gwylio'r cwch yn gogordroi ym merw'r tonnau, a hynny gyda chryn rialtwch — yn enwedig y plant.

'Ifan Paraffîn, dreifar sybmarîn,
Yn rhwyfo ar ei din.'

'Mi foddith ein gw'nidog ni,' ebe Ann Jones Mynwent Terras wrth Nel ei chymdoges, 'gneith cyn sicrad â 'mod i'n sefyll yn fa'ma. Heblaw, mi fydd yn gyfla i ni ga'l gw'nidog newydd.'

'Ma' hynny yn'i hi, Ann Jones. Fuo' 'na 'rioed ddrwg nad o'dd o'n dda i rywun.'

'Fasa' dim gwell i ni fynd i air o weddi, deudwch?' holodd Obadeia Gruffydd, Barrach Bella', yn barod i ysgwyddo ei gyfrifoldeb fel yr Arolygwr. Poerodd hwsmon Neigwl Ganol heibio blaen ei esgid cyn ateb yng nghlyw pawb.

'Diawl Oba, 'sa ddim gwell trio perswadio'r Paraffîn 'na i rwyfo'n fwy cymesur? A gweddïo wedyn.'

Daeth perchennog y cychod allan o'i gwt, yn cael ei ddilyn gan y llanc, ac anferth o gorn siarad yn ei law. Chwipiodd gloc o wats o boced ei gesail i gael cip brysiog arni, yna, gosododd y corn wrth ei enau a gweiddi allan i gyfeiriad y llyn.

'*Ye'r time's up, gentlemen! Please return the boat. Immediately! . . . Thank you.*'

Ond roedd y cychwr y tu hwnt i glywed geiriau, yn corddi rhwyfo, a'r cwch yn troi'n ei unfan yn feddw o beryglus. O droi handlen y bỳs dros flynyddoedd, mewn ymdrech i'w thanio, roedd un fraich i Ifan Ifans yn ganmil cryfach na'r llall gyda'r canlyniad mai un rhwyf a balai'r dŵr tra oedd y llall, un y fraich wannach, yn shefio'r ewyn yn unig. Erbyn hyn roedd Phillips wedi colli bron y cyfan o'i grefydd.

'Chi'n rhwyfo acha ci corddi, w.'

'Acha be'?'

'Ci corddi.'

'Ci cor? . . . 'Sa chi'n lecio cym'yd at y rhwyfa' 'ma 'ych hun? Y Spurgeon cythra'l.'

'Diolch, frawd.'

Hanner-cododd Phillips o'i eistedd mewn ymdrech i gael at y rhwyfau.

'Wps-a-deisi,' â'r cwch, erbyn hyn, yn siglo, yn ogystal â throi.

Fel roedd Phillips yn hanner sefyll yn y cwch, ac ar gamu drosodd, daeth rhwyf y llaw wan i fyny oddi ar wyneb y dŵr a'i daro'n solat ar ei wegil. Llithrodd yn ôl i'w sedd i gyfri'r sêr.

'*By God!*' drwy'r corn siarad, '*the bugger 'll kill the preacher.*' Trodd at y llanc, '*'Arry me boy, fetch them in.*'

Roedd y gwylwyr ar y lan, erbyn hyn, yn fwy eu cydymdeimlad.

'Beth bynnag 'di Phillips, 'sdim isio'i ladd o ar drip Ysgol Sul o bob d'wrnod.'

'Gath swadan hegar ar 'i wegil. 'Sa'n ddigon i ladd rwbath llai gwydn.'

'Un brwnt fuo' Ifan Paraffîn 'rioed.'

'Phillips druan.'

Trodd y cydymdeimlad â Phillips, cyn hir, yn edmygedd o un arall. Ar orchymyn ei feistr neidiodd y bychan yn sbringar i gwch sbâr a rhwyfo'n unionsyth at y cwch a aeth i enbydrwydd.

'Sbïwch mewn difri calon.'

'Ma' hwn 'di eni â rhwyfa'n sownd wrth 'i freichia' fo. Ffact i chi.'

''Ngwasi.'

Rhwyfodd yn ddeheuig nes bod starn ei gwch o o fewn ychydig fodfeddi i'r cwch arall a'r unig broblem erbyn hynny oedd bod Ifan Paraffîn yn dal i balu rhwyfo'i orau.

'*Ey! Give over, Sunshine,*' ebe'r bychan wrth y Paraffîn.

'Y?'

'*Pack it up, I tell ye.*'

'O . . . *Sorry.*'

Cysylltodd y ddau gwch â'i gilydd â phwt o gortyn main, yna, eisteddodd yn ei gwch ei hun a dechrau rhwyfo tynnu i gyfeiriad y lan, a phawb ar y lan yn edmygu.

'Wel, sbïwch eto.'

'O ena' plant bychain, ynte?'

'Ia, oen yn dysgu defaid i bori.'

'*Well done, 'Arry. Gently does it now.*'

Cerddodd y perchennog allan i'r llyn yn ei sibŵts uchel i ddadfachu'r cychod. Fel roedd o'n cwblhau'r gwaith, penderfynodd y Parchedig Harold Phillips, hirion ei goesau, roi naid dafad-diwrnod-dipio am y lan ond tra oedd Phillips yn yr awyr trodd y cwch â'i wyneb i waered, fel cwpan mewn dŵr, a lympio Ifan Paraffîn, â'i ben yn gyntaf, i waelod y llyn. Cafodd Harold Phillips yr ymateb gwresocaf a gafodd yn ei hanes — yn arbennig felly o du'r plant a'r rhai oedd yn perthyn i enwadau eraill.

116

'*Silly twit,*' ebe'r llanc yn bowld.

Rhyfeddai'r dyrfa at hamddenoldeb perchennog y cycho
Wedi tynnu un cwch i dir a'i rwymo, a throi'r llall â'i wyneb
fyny, â'r Paraffîn, erbyn hyn, yn dod i'r wyneb am y trydydd tro
estynnodd flaen rhwyf yn gynnil i gyfeiriad y gŵr oedd ar foddi.

''*Ey! Get 'old of this, Neptune.*'

O gofio mai deryn peryglus oedd Ifan Paraffîn unwaith y
clwyfid o, rhedodd pawb am y bỳs — Phillips yn arwain a'r plant
yn ei ddilyn.

Bu'r siwrnai'n ôl o Southport i Lŷn yn un arafach a mwy
helbulus. Serch y *big-end* newydd roedd peiriant y bỳs yn tisian
yn gyson, yn union fel petai'r dŵr a lifai drwy sgidiau'r gyrrwr
yn glychu'r plygiau, ac ambell dro gollyngai ergyd o'i ôl ac
ychydig dân. Cyn cyrraedd gwaelod allt y Rhuallt aeth hen ŵr
Bryniau Rhedyn yn sâl ryfeddol a bu'n rhaid stopio'r bỳs iddo
gael mymryn o awyr iach. Fel roedd o'n plygu uwchben ffos, â'i
ginio'n ei adael fel llafn cryman, dyma un o'r hogiau'n gweiddi
drwy fwlch un o'r ffenestri cefn.

'Y te geuthoch chi hefo'r ddynas ifanc 'no sy 'di gneud y
damej, Huw Willias.'

Wedi i Huw ddod ato'i hun, ailgychwynnwyd.

Ar gyrion tre Caernarfon bu profedigaeth arall. Â Phillips
erbyn hynny wedi cael y sedd i gyd iddo'i hun, gan bod ei wraig
wedi mynd i gadw cwmni i'r dyn glo, daeth i'w feddwl y dylai
gyfri'i amryw blant i weld fod pob un o'r naw yno. Yn ei fyw ni
allai gael mwy nag wyth, er ail a thrydydd gyfri. Penderfynodd
godi ar ei draed a holi.

'Odych chi wedi gweld Stanley ni?'

'Ydi Stan Dŵr yma?' pynciodd un o blant Mynwent Terras
yn uchel, ddigywilydd.

'Nagdi,' gwaeddodd plant y sêt gefn. 'Ella bo' Ifan Paraffîn 'di
foddi o.'

'Wel, hawyr bach. Ble ma' fe 'te?'

117

ıch chi'n siŵr o'i glywed o, Phillips,' brathodd Ann
"tasa' fo hefo ni.'
ws clywad yr ewach na'i weld o, fel rheol,' ebe un arall.
ıl, stopwch y bws w.'
ırthodwyd y cais, er i Obadeia Gruffydd ymliw hefo'r
ır.
.r goll? Pwy gythra'l sy ar goll rŵan?'
Hogyn fenga' Mistar Phillips 'te.'
'O! hwnnw,' yn ddihidio.
'Ia, Stanley sy ar goll, yn y Southport 'na, Ifan Ifans.'
'Sa'n haws gin i stopio 'tasa' fo'n hogyn i rywun arall.'
'Ella ma' hogyn rywun ar . . .' a phenderfynodd Obadeia
Gruffydd ei bod hi'n gallach i droi'r stori. 'Phillips sy'n 'i fagu o
beth bynnag.'
'Ffordd gynta i Ganaan fydd hi heno. 'Neith y *big-end* ddim
dal i mi droi'n ôl.'
'Run oedd teimladau'r teithwyr, hwythau.
"'Tasa' fo'n unig blentyn, 'sa'n wahanol.'
'A fydd raid i ni godi i odro bora fory eto.'
'Ond ma' fe ar goll w.'
'Gynnoch chi wyth ar ôl wedyn, Mistar Phillips. Be tasach chi
fel Ifan Paraffîn heb 'run?'
'Ond frodyr a 'whiorydd, ma' . . .'
Drannoeth, gyda'r trên dri, y cyrhaeddodd hogyn ieuenga'
Phillips i Stesion Pwllheli â label Saesneg am ei wddf — *'Master
Stanley R. Phillips, Pihahiroth Manse, Nr. Pwllheli. To be
collected at terminal'* ac Ifan Paraffîn, wedi oeri noson, a'i
cyrchodd yn ei dacsi a hynny yn rhad ac am ddim. (Pobl â'u
cyfarthiad yn llawer gwaeth na'u brathiad oedd trigolion y plwy
lle'm maged i.) Fodd bynnag, i Fae Colwyn, hefo'r trên, yr aeth
trip yr Ysgol Sul y flwyddyn ganlynol a chyn belled ag y gwn i, ni
bu Ifan Ifans Paraffîn dros drothwy Pihahiroth wedi'r pnawn o
Orffennaf braf hwnnw, yn 1945, hyd heddiw.

'Fe ddyblaf eich ynni'
— medd Twm Taten